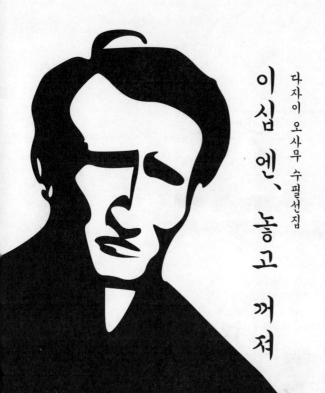

다자이 오사무 수필선집

이십 엔, 놓고 꺼져

太宰治

1947년 4월 도쿄 미타카역 근처 장어구이집 「와카마쓰야」 앞에서

다자이 오사무

다자이 오사무, 본명 쓰시마 슈지太宰治 津島修治는 1909년 6월 19일, 아오모리현青森県 기타쓰가루군北津軽郡 가나기마치金木町에서 11남매 중 열 번째 아이, 여섯 번째 아들로 태어났습니다. 쓰시마 가문은 증조부 때부터 소작과 고리대금업으로 막대한 부를 쌓은 신흥지주로, 다자이가 태어났을 무렵에는 은행과 철도 사업까지 진출하였으며 이렇게 축적한 거대자본을 이용해 정계에도 영향력을 행사하는, 이른바 아오모리 굴지의 명문가로 이름을 떨쳤습니다. 쓰가루평야津軽平野 한복판, 인구 5천의 작은 마을 가나기에서, 쓰시마 가문은 영주와 다름없었습니다. 6백 평 대지에 둘러쳐진 높이 4미터의 벽돌 담, 그 위로 솟아오른 대저택의 붉은 지붕은 궁궐을 방불케 했습니다. 저택 안뜰에

7

는 추수한 곡식으로 넘쳐나는 창고와 스무 개가 넘는 방이 있었음에도, 쓰시마 가

문의 여섯 번째 도련님 슈지의 방은 어디에도 없었습니다. 병약한 어머니에게서 태

어난 다자이는 유모의 젖을 먹고 자랐고, 남편과 사별한 후 쓰시마 가문에 몸을 의

지하고 있던 이모가 그를 친자식처럼 돌봐 주었습니다. 가부장적인 아버지는 정치

활동과 맏형 분지(文治)를 후계자로 키우는 일로 항상 바빴기 때문에, 다자이는 집안일을

돌보는 하인들과 가깝게 지내며 그들 속으로 섞여 들어갔습니다.

가나기 심상소학교를 거쳐 현립 아오모리중학교(青森中学校)에 입학한 다자이는 친척 집

에 머무르며 학교에 다녔습니다. 중학교를 우수한 성적으로 졸업하고 진학한 히로사키고등학교(弘前高等学校)는 전원 기숙사 생활을 해야 하는 규칙이 있었으나, 부잣집 도련

님 다자이만은 예외였습니다. 그는 집을 떠나 친척집을 전전하면서 비로소 자기 방

을 갖게 되었고, 그때부터 문학의 길을 꿈꾸었습니다. 아쿠타가와 류노스케(芥川龍之介)의 음

독자살 소식이 들려올 즈음, 성실한 학생이었던 다자이는 친구들과 어울려 아오모

리의 요정에 드나들며 소설을 논하는 멋쟁이 문학청년이 되어 있었습니다. 고등학

교 2학년 때는 급우들과 함께 문학잡지 「細胞文芸 세포문예」를 간행하였고 그 밖의 여러 문

학 잡지에 이런 저런 가명으로 글을 발표하며 본격적인 창작활동을 시작했습니다.

그리고 때마침 유행하기 시작한 좌익사상에 매력을 느꼈지만 프롤레타리아 혁명을

추구하는 좌익이념과 대지주의 아들이라는 본인의 신분이 충돌하는 현실에 혼란을

느낀 다자이는 수면제를 다량 복용하여 자살을 기도했다가 미수에 그쳤습니다.

그 후, 1930년, 20세 나이로 東京帝国大学 도쿄제국대학 불문과에 입학하여 도쿄에서 하숙

생활을 시작했고 중학교 시절부터 존경하던 소설가 井伏鱒二 이부세 마스지를 찾아가 그의

제자가 되었습니다. 그해 가을, 고교 시절부터 알고 지내던 게이샤 小山初代 오야마 하쓰요

가 다자이를 찾아 도쿄로 올라왔고, 둘은 동거를 하게 되었습니다. 이 소식을 듣고

≪고교 시절 좀 놀던 친구들과 요릿집에서≫
다자이는 어디에 있을까요?

≪힌트≫
아쿠타가와 류노스케

만형 분지가 급히 상경했지만 다자이의 마음을 바꿀 수는 없었습니다. 지방의 유력 명문가로서 도저히 용납할 수 없는 일이었기에 분지는 다자이를 호적에서 제적하였습니다. 훗날 정식으로 결혼식을 올린다는 조건으로 일단 하쓰요를 아오모리로 돌려보낸 다자이는 그해 11월, 긴자의 술집 종업원 다나베 시메코(田部シメ子)와 가마쿠라(鎌倉) 앞바다에 투신하여 동반자살을 기도했습니다. 그러나 시메코만 죽고 다자이는 살아남아 자살방조 혐의로 조사를 받았는데, 만형이 손을 써서 기소유예로 풀려날 수 있었습니다. 이후 다자이와 하쓰요는 쓰가루 산속 여관에서 결혼식을 올렸습니다. 그리고 이듬해 2월, 도쿄 시나가와(品川)에 신혼방을 차렸고 만형 분지에게 사정하여 다달이 생활비를 받아 살림을 꾸려 나갔습니다. 도쿄제국대학 학생이기는 했지만 문학가의 길을 걷기로 마음먹은 이상 꼭 졸업해야 할 이유는 없었습니다. 수업도 거의 듣지 않고 밤낮없이 긴자 거리를 방황했고, 도서관에서 대출한 책을 읽으며 훗날 「만년(晩年)」이라는 책으로 엮여 나올 작품들을 드문드문 써 내려갔습니다. 생활고와

미래에 대한 불안감에 술로 하루를 보내던 다자이는 건강이 급격히 악화되었고, 그

무렵 폐병을 얻었습니다. 하지만 일생의 문우 야마기시 山岸外史 가이시, 단 檀一雄 가즈오, 이마 伊馬

하루베, 쓰무라 津村信夫 노부오, 곤 今官一 간이치, 나카하라 中原中也 츄야 등과 함께 동인잡지 「푸른 꽃」青い花

을 창간했습니다. 「푸른 꽃」은 비록 창간호를 끝으로 폐간되고 말았으나, 이후 「일본낭만파」日本浪漫派 에 합류하여 작품 활동을 이어 나가는 계기가 되었습니다.

27세가 되던 1935년 3월, 다자이는 미야코신문사 都新聞社 에 입사지원을 했지만 탈락

의 고배를 마시게 되었고, 이에 실망한 나머지 가마쿠라에서 목을 매 자살을 시도 했지만 그마저도 실패를 했습니다. 그 후 맹장염에 걸려 병원에 입원하여 치료를

받았는데 복막염으로 발전하여 중태에 빠졌고 치료 후 요양을 위해 치바현 千葉県 후나바 船橋

시로 거처를 옮겼습니다. 단칸 하숙방을 전전하던 다자이에게 처음으로 허락된 단

독주택이었습니다. 하지만 다자이는 진통제로 처방된 파비날에 중독되었고, 파비

날 중독은 앞으로 다자이의 인생과 문학에 커다란 영향을 끼치게 됩니다. 후나바시

에 머문 1년 3개월 동안 다자이의 몸과 마음은 약에 쩌들어 갔습니다. 다자이는

약을 사기 위해 지인들을 찾아다니며 갚을 기약 없는 돈을 빌렸고 빚은 점점 늘어

났습니다. 여름이 한창인 8월이었습니다. 지난 2월에 발표한 작품 「역행」(逆行)이 제

1회 아쿠타가와상 후보에 올랐습니다. 상금은 5백 엔. 다자이는 그 돈이 꼭 필요

했습니다. 다급한 나머지 아쿠타가와상 심사위원 사토 하루오를 찾아가 당선을 종

용하는 등 그의 언동은 이미 정상이 아니었습니다. 비록 「역행」은 차석에 그쳤지

만 이를 계기로 다자이는 「문예춘추」(文藝春秋) 등 유력 문학지에서도 원고 의뢰를 받게 되었

습니다. 다자이의 불안정한 심리상태를 염려한 지인들의 도움으로, 약물에 중독된

상태로 목숨을 걸고 써 내려간 유서와도 같은 작품들이 「만년」이라는 한 권의 책

이 되어 출판되었습니다. 파비날 중독 시기에 쓴 독특한 발상과 특이한 문체의 이

작품들은 약물중독 당시 다자이의 심경을 잘 나타내고 있습니다. 출판기념회에 모

인문인들은 심신이 피폐해진 다자이의 몰골을 보고 깜짝 놀랐습니다. 그로부터 석 달 후, 스승 이부세 마스지의 권유로 다자이는 정신병원에 입원하여 약물중독 치료를 받았습니다. 이때 느낀 좌절감은 「HUMAN LOST」라는 작품에 고스란히 나타나 있습니다. 하지만 병원에 입원한 사이, 평소 절친했던 지인 小館善四郎 고다테 젠시로와 아내 하쓰요가 간통한 사실을 알게 되었고, 충격을 받은 다자이는 이러지도 저러지도 못하다가 결국 하쓰요와 함께 군마현群馬縣 산속에서 수면제를 먹고 자살을 기도했습니다. 그러나 역시 실패했고, 도쿄로 돌아오자마자 그녀와 이혼을 했습니다. 하쓰요와 이별한 다자이는 동료 문인들과 여행을 다니며 그동안 지친 몸과 마음을 추슬렀습니다. 그러나 약물중독으로 정신병원에 입원했다는 사실이 알려지자 원고 청탁은 완전히 끊겼습니다.

1938년. 다자이 오사무, 29세. 문학가로 살아갈 것을 다짐한 그는 스승 이부세 마스지가 머물렀던 미사카고개의 한 찻집으로 가서 다시 집필활동을 시작했습니다. 그리고 이부세 마스지의 소개로 일생의 반려 이시하라 미치코를 만나 이듬해 결혼식을 올리고 처가가 있는 고후에서 신혼살림을 시작했습니다. 그리고 가을, 도쿄 미타카로 거처를 옮겼습니다. 평화로운 가정, 안정된 생활, 규칙적인 집필. 작품이 속속 발표되었습니다. 「부악백경」 「여학생」 「유다의 고백」 「달려라 메로스」 「신햄릿」 「동경팔경」 「치요조」 등 수작이 쏟아져 나왔습니다. 다자이 인생의 황금기였습니다. 그의 곁에는 성실한 아내와 우여곡절마다 함께해 준 스승 이부세 마스지, 일생의 벗들이 있었고 다자이를 만나고자 각지에서 소설가 지망생들이 미타카로 몰려들었습니다. 33세가 되던 해, 장녀 소노코가 태어났습니다. 세상에 부러울 것이 없었습니다. 곧이어 불어닥친 전쟁의 바람에도 다자이는 집필을 멈추지 않았습니다. 하지만 패색이 짙어지던 전쟁 말기, 공습으로 어수선한 미타카를 떠나 처가가 있는 고후로, 고후에서 다시 고향 쓰가루로, 피난을 가야만 했습니다.

1946년 말, 다자이는 미타카로 돌아왔습니다. 전쟁으로 생긴 공백을 메우려는 듯 신문과 잡지가 속속 창간되었고, 저널리즘의 총아가 된 다자이에게 원고 청탁이 쇄도했습니다. 하루가 멀다 하고 찾아오는 방문객을 피해 아침 아홉 시에 집을 나와 작업실에서 오후 세 시까지 글을 썼으며, 하루 작업량은 원고지 다섯 장. 꾸준했습니다. 「메리크리스마스メリイクリスマス」 「비용의 아내ヴィヨンの妻」 「범인犯人」 등이 이 시기에 완성되었습니다. 일이 끝나면 미타카역 앞 장어구이집으로 찾아와 다자이를 만났습니다. 친구나 기자들은 약속도 없이 장어구이집에 앉아 술을 마셨고, 그는 특유의 화법으로 방문객들을 웃겨 주는 서비스를 잊지 않았습니다.

1947년 2월, 38세. 다자이는 가나가와현神奈川県에 사는 오타 시즈코太田静子를 찾아가 그곳에서 한 달을 머물며 몰락한 귀족을 주인공으로 한 소설의 초안을 작성했습니다. 그리고 이즈伊豆 반도의 여관을 전전하며 1장과 2장을 집필, 미타카 작업실에서 나머

지를 완성하여 7월에 발표했습니다. 제목은 「사양(斜陽)」. 이 소설은 어마어마한 반응

을 일으키며 흥행에 성공했고 다자이는 단숨에 인기 작가 반열에 올랐습니다. 오타

시즈코의 일기장에서 모티브를 얻었다고는 하나, 패전 직후 농지해방으로 몰락한

쓰시마 가문에 대한 애잔함도 분명 집필의 주된 동기였을 것입니다. 그리고 11월,

오타 시즈코와의 사이에서 딸 나오코(治子)가 태어났습니다. 「사양」 발표 후 시작된 지

독한 불면증과 나날이 심해지는 각혈, 다자이는 죽음을 직감했습니다. 그리고 자

신의 문학과 삶의 총결산인 「인간실격(人間失格)」의 집필에 혼신을 다했습니다. 「인간실격」

은 1948년 3월에 집필을 시작하여 5월 하순에 완성되었고 「전망(展望)」 6월호부터

3부작으로 연재될 예정이었습니다. 1회부터 엄청난 호응이었습니다. 일본이 들

끓었습니다. 하지만 다자이는 이미 이 세상 사람이 아니었습니다.

6월 13일, 다자이는 전쟁 미망인 야마자키 도미에(山崎富栄)와 몸을 묶고 다마가와 죠스이(玉川上水)이

수로에 몸을 던져 함께 목숨을 끊고 말았습니다. 때마침 내린 비로 물이 불어 수색에 어려움을 겪다가 며칠 후인 19일, 공교롭게도 그의 생일날, 하류에서 시체가 발견되었습니다. 책상 위에는 「朝日新聞(아사히신문)」에 연재하기로 한 소설 「굿바이」 원고와 초고, 아내와 친구에게 남긴 유서, 아이들에게 줄 장난감이 놓여 있었습니다.

다자이 오사무. 향년 39세.

그렇게, 모든 것이, 지나갔습니다.

《다자이 오사무 1주기에 아버지 비석에 술을 따르는 장녀 소노코 양》
1949년 6월 미타카

편집 후기

『인간실격』을 읽은 독자들이 너무 우울해하는 것 같기에 이번엔 좀 상큼한 다자

이 책을 만들어 보자, 다자이 그 양반도 보통 사람이고, 그렇게까지 절망으로 가득

한 삶을 살았겠는가, 소설은 소설이고 유쾌한 순간도 분명 있을 텐데, 수필에는 조

금이라도 그런 순간을 써 놨겠지, 『인간실격』이 아무리 자서전 같은 소설이라 해

도 소설 한 편 읽고 작가의 인생을 다 안다는 듯 우울해할 필요는 없잖아?

뭐 그런 심정으로 책을 만들기 시작했습니다. 어린 시절부터 시간 순서로 일상생활

과 연관된 수필을 쭉 나열하면 『인간실격』에는 없는 다자이 인생의 밝은 면을 조금

은 들여다볼 수 있지 않을까, 처음엔 그런 마음으로 작업을 했는데 점점, 이거 이

런 분위기면 곤란한데、어、어、어…… 하다가 결국 『인간실격』 2탄이라고 해도

과언이 아닐 만큼 무겁고 우울한 책을 한 권 더 만들어 버리고 말았습니다。 그래서

지금도 마음이 영 개운하지가 않습니다。

이 책은 다자이 오사무의 수필을 골라서 실은 選集선집입니다。 왜 全集전집이 아니고?

솔직하게 말하자면 제가 읽어 봐서 쉽고 재밌는 것만 골라서 실었습니다。 워낙에

기성 문단과 사이가 좋지 않았던 만큼 문단과 문학론에 관한 불평불만이 많은데、

그걸 읽으려면 거기에 나오는 사람들—죄다 우리가 모르는 사람들—과 다자이와

의 관계、그 글을 쓰게 된 전후사정을 다 설명해야 하잖습니까? 다자이 오사무에

관한 논문을 쓸 것도 아닌데、아…… 생각만 해도 벌써 토 나올 것 같습니다。 그래

서 그런 글은 아예 뺐습니다。 그래도 읽다 보면 여러 사람이 등장하는데요、거의

다 자이와 친하게 지내던 작가들이라고 보면 됩니다。 일일이 따로 주석을 달까도 했

지만、그래봐야 생몰년과 대표작 정도、그마저도 우리나라에는 거의 알려지지 않

은 작품들이라 나열해 봐야 의미가 없을 것 같아 역시 뺐습니다. 양해 바랍니다.

저는 이 책이 오로지 쉽고 재미있는 책이었으면 좋겠습니다. 그래서 최대한 맑고

밝고 유머러스한 글만 골라 실어서 기분 좋은 책을 만들려고 했습니다만, 이제 와

서 생각하니 그건, 이토 준지(伊藤潤二)가 싱그러운 명랑순정만화(주인공 토미에)를 그린다는

게더 그럴싸하게 들릴 정도로, 말도 안 되는 일이 아니었나 생각합니다.

아무튼, 읽는 쪽이나, 만드는 쪽이나, 아쿠타가와 류노스케랑 다자이 오사무 책

은 특히 힘든 것 같습니다. 어제는 목욕 갔다 오는 길에 만화방에서 이토 준지가

그린 『인간실격』을 봤는데, 정말 명작입니다. 몸에서 두드러기 날 정도로. 저는

그 책을 추천합니다.

두서가 없었습니다. 이 책을 읽어 주셔서 감사합니다.

2018년 11월 26일

편집자 김동근

참고 사항

가루타 시가 적힌 카드를 늘어놓고, 진행자가 시구를 읊으면 다음 구절이 적힌 카드를 집어 내는 놀이.

결박된 프로메테우스 제우스에게 불을 훔쳐 인간에게 전해 준 신 프로메테우스를 다룬 비극.

고타쓰 밥상에 이불을 덮고 그 안에 난로를 넣은 일본식 난방기구.

공영 함께 번영함.

교호상조 서로가 서로를 비추어 줌.

그리우면 찾아오라 한 청년이 사냥꾼의 덫에 걸린 흰 여우를 구해 주자 흰 여우는 「구즈노하」라는 여자로 둔갑하여 그와 결혼한다. 둘 사이에 태어난 아들(훗날 음양사 아베노 세이메이)은 요괴의 신통력을 물려받아 어머니가 사람으로 둔갑한 여우임을 알아챘고, 이에 둔갑한 여우는 숲으로 돌아가면서 『그리우면 찾아와 보오, 이즈미시노다 숲 한 서린 구즈노하』라는 말을 남겼다.

남아필생 위기일발 남자의 일생은 언제나 위험에 직면해 있음을 나타내는 말.

넬리 도스토옙스키의 소설에 등장하는 불행한 소녀. 한 남자를 사랑하는 마음을 끝끝내 숨긴다.

다케다 신겐 1521~1573. 일본 전국시대에 천하 패권을 두고 싸운 무장.

도겐자카 도쿄 시부야역에서 메구로 방면으로 뻗은 완만한 오르막길로 유흥업소가 많다.

도모에몬 오타니〈가부키 가문〉의 배우에게 대대로 계승되는 명칭.

도코노마 일본 전통 가옥에서 방바닥을 한 단 높이고 꽃과 족자로 장식한 공간.

도호쿠 일본 혼슈 동북부 지역. 아오모리현, 이와테현, 미야기현, 후쿠시마현, 아키타현, 야마가타현.

동트기 전 시마자키 도손의 대표 소설. 메이지 유신의 격동기를 지나는 인간군상을 그리고 있다.

뜨리고린 체호프의 자전적 작품 '갈매기'에 등장하는 인기 극작가.

마쿠라노소시 헤이안 시대의 궁녀 세이 쇼나곤이 지은 일본의 수필문학.

만엽집 고대로부터 전해지는 시와 노래를 집대성한 것으로, 약 4천5백 수 이상이 실려 있다.

망중사객 바빠서 방문객은 받지 않는다는 말. 방문사절.

메이지절 메이지 일왕의 생일(11월 3일)로 1927년부터 1947년까지 시행된 공휴일.

무나가타 시코 1903~1975. 아오모리현 출신 판화가.

무니코 도쿠카와 막부의 주치의가 만들어 유통하기 시작한 고약.

벚꽃동산, 세 자매 안톤 체호프의 대표 희곡 제목.

부모라는 두 글자 일본어로 「親」한 글자로 쓰고 『오야』라고 읽는다.

분라쿠 일본의 전통 인형극으로 사람 크기의 인형 하나를 세 명이 조종한다.

사이고 다카모리 일본 사쓰마의 무사. 메이지 유신의 주역으로 사쓰마 반란 때 수세에 몰려 자결했다.

사토미핫켄덴 무로마치 시대를 배경으로 인·의·예·지·충·신·효·제라는 구슬을 가진 여덟 젊은이들이 사토미 가문 아래 모여 벌이는 모험을 다루고 있다.

소가 형제 형제가 아비의 원수를 갚고 결국 목숨을 잃는다는 내용의 일본 3대 복수극의 하나.

술폰아미드기 화농성 질환에 쓰는 설파닐아미드 성분을 통틀어 이르는 말.

신바시 엔부죠 1925년에 신축된 가부키 공연장.

쓰루카메잔 학(쓰루)과 거북이(카메)의 다리 수와 각각의 마릿수를 헤아리는 문제.

아다치 겐조 1864~1948. 일본의 정치인. 명성황후 시해 사건을 주도했다.

아이스킬로스 고대 그리스의 비극 극작가.

에이조、분고로 일본 전통 인형극 분라쿠 인형술사를 대표하는 인물. 대를 이어 활동했다.

연쇄상구균 사슬 모양으로 증식하는 병원균으로 패혈증과 성홍열의 원인이 되기도 한다.

오오이 히로스케 1912~1976. 잡지 「현대문학」을 창간한 문예평론가.

우라시마 다로 우라시마 다로라는 어부가 거북이를 구해 준 보답으로 용궁으로 초대를 받아 며칠을 지냈는데 육지로 돌아오니 지상의 시간은 이미 3백 년이 지난 후라는 일본의 용궁설화.

우메노요시베 가부키극에 등장하는 인물로 오사카의 도적 우메시부 기치베를 의로운 검객으로 각색했다.

우치무라 간죠 1861~1930. 일본의 기독교 사상가.

육첩방 다다미 여섯 장이 깔린 방.

이마 우헤이 극작가 이마 하루베의 필명.

이세모노가타리 헤이안 시대 초기의 시가집으로 어떤 남자의 일생을 통해 남녀의 연애, 충, 효 등 보편적인 인간관계를 그리고 있다.

죠카마치 영주의 성을 중심으로 생겨난 도시로 상업과 행정이 집중되어 있다.

진다이사쿠라 야마나시현 짓소지 절 경내에 있는 수령 약 2천 년의 벚나무.

천하찻집 덴카챠야. 현재도 운영 중이며 다자이가 머물렀던 2층은 다자이 기념관이 되었다.

충신 구라 억울하게 죽은 영주의 원수를 갚고 자결한 47인의 무사 이야기.

코끼리 씨와 중산 일본어로 둘 모두 「조오산」으로 발음이 같다.

타르튀프 프랑스 극작가 몰리에르의 회곡에 등장하는 인물로 독실한 신앙인처럼 행동하나 실은 돈과 여자를 탐하는 위선자이다.

포도상구균 포도송이 모양으로 생긴 균으로 고름증의 원인이 되는 균.

풍성학려 바람소리와 학의 울음소리. 겁을 먹은 사람은 하찮은 일에도 놀람을 비유한 말.

화엄 폭포 도치기현 닛코시에 있는 일본 3대 폭포 중 하나.

참고용 지도

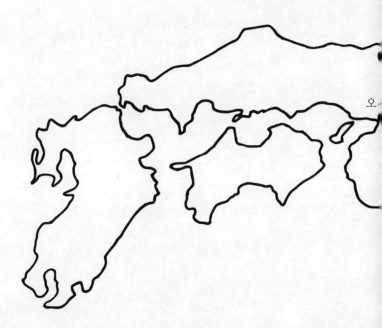

오

차
례

아오모리 쓰가루평야

1909년
6월 19일 아오모리현 기타쓰가루군 가나기마치 출생.

1923년
3월 부친 도쿄에서 사망.
이 무렵부터 작가를 지망하여 급우들과 동인잡지를 만들어 작품을 발표.

1925년
7월 아루타가와 류노스케 자살.

1927년
12월 칼모틴 자살기도.

1929년
4월 도쿄제국대학 불문과 입학.

1930년
11월 다나베 시메코와 가마쿠라에서 동반자살 시도하나 시메코만 사망.

1931년
2월 오야마 하쓰요와 동거.

1933년
2월 아오모리 신문 「선데이 도오」에 다자이 오사무라는 필명으로 「열차」 발표.

1934년
12월 동료들과 문예지 「푸른 꽃」 창간하나, 창간호를 끝으로 폐간.

1935년
3월 신문사에 입사지원, 탈락. 가마쿠라에서 목을 매나 자살 실패.
8월 소설 「역행」이 제1회 아쿠타가와상 후보에 오르나 차석에 그침.

1936년
2월
6월 첫 단편집 「만년」 간행.

1936년
10월 파비날 중독으로 무사시노 병원 정신과에 입원.

1937년
3월 하쓰요가 지인과 정을 통한 사실을 알고 동반자살 기도하나 미수에 그침.

1938년
9월 이부세 마스지의 소개로 이시하라 미치코와 만남.

1939년
1월 이시하라 미치코와 결혼. 생활이 안정되어 집필에 전념하기 시작.

9월 도쿄 미카타로 이상.

1941년 11월 징병 대상이 되었으나 폐침윤으로 면제.

12월 모친 사망.

1944년 8월 장남 마사키 출생.

1945년 3월 공습을 피해 고후 처가로 떠났다가 다시 쓰가루 본가로 피신.

1946년 11월 미타카 자택으로 돌아옴.

1948년

1947년

2월 애인 오타 시즈코를 찾아가 머물며 「사양」 초안을 작성.

3월 차녀 사토코 출생.

11월 오타 시즈코와의 사이에서 딸 오타 나오코 출생.

3월 「인간실격」 집필 시작.

5월 「인간실격」 완성.

6월 야마자키 도미에와 강물에 투신. 동반자살 성공. 향년 39세.

6월 19일 시체 발견. 공교롭게도 생일.

≪막상막하의 두 촌뜨기≫ 1947년 7월
다자이 오사무, 곤 간이치

촌뜨기

저는, 아오모리현 青森県 기타쓰가루군 北津輕郡 이라는 곳에서, 태어났습니다. 곤 今官一 간이치하고는, 동향입니다. 그 양반도, 어지간히 촌뜨기입니다만, 저희 고향집은, 그 양반 태어난 곳에서, 백 리나 더 산속에 있으니, 무엇을 숨기랴, 저는, 훨씬 지독한 촌뜨기입니다.

가와바타 야스나리 씨에게

川端康成

당신은 「문예춘추」
文藝春秋 9월호에 나를 향한 악담을 쓰셨다. 『전략. ─ 과연,
「어릿광대의 꽃」
道化の華 쪽이 작가의 삶이나 문학관을 듬뿍 담고 있지만, 사건을 말하자
면, 작가 현재 삶에 불길한 구름 감돌아, 재능 온전히 발휘치 못한 아쉬움 있다.』

서로 간에 어설픈 거짓말은 하지 말기로 하자. 난 당신이 쓴 글을 서점 앞에서
읽고, 너무나 불쾌했다. 이 글을 보면, 마치 당신 혼자서 아쿠타가와상을 결정한
느낌이다. 이건, 당신이 쓴 글이 아니다. 분명 누군가가 억지로 쓰게 한 게 틀림없
다. 게다가 당신은 그런 사실을 공공연히 드러내려고 노력까지 하고 있다. 「어릿
광대의 꽃」은 3년 전, 내 나이, 스물네 살 적 여름에 쓴 소설이다. 「바다」라는 제

목이었다. 친구 곤 간이치、이마 우헤이에게 보여 주었는데、그 소설은、지금 것

과 비교하면、아주 소박한 형식으로、소설 속 「나」라는 남자의 독백 같은 건 전혀

없었다. 스토리만 깔끔하게 정리한 것이었다. 그해 가을、앙드레 지드의 도스토옙

스키론을 이웃 아카마쓰 겟센 씨에게 빌려 읽고 문득 생각이 들어、나의 그 원시적

이고 단정하기까지 한 「바다」라는 작품을 갈기갈기 찢어 버리고、「나」라는 남자의

얼굴을 작품 속 도처에 출몰시켜、일본에 아직 없는 소설이라고 친구들에게 큰소리

치고 다녔다. 친구 나카무라 치헤이、구보 류이치로、그리고 이웃인 이부세 씨에게

보여 주었고、평이 좋았다. 기운을 얻어、다시 한 번 손을 보았는데、지워 없애고

더 써넣고 하면서、다섯 번 정도를 다시 깨끗이 옮겨 적었고、그러고 나서 애지중

지 벽장 속 종이봉투에 넣어 두었다. 올해 정월 무렵에 친구 단 가즈오가 그걸 읽

고、이거、자네、걸작일세、어디 잡지사에라도 가지고 가 보게、나는 가와바타 야

스나리 선생님께 부탁하러 가 볼 테니。가와바타 선생님이라면、분명 이 작품을 알

아빠 주실 거네, 하고 말했다.

그러는 사이에 나는 소설이 벽에 부딪혀, 말하자면 될 대로 되라는 심정으로, 여행을 떠났다. 그것이 작은 소동을 일으켰다.

아무리 형님에게 욕을 먹어도 좋으니, 5백 엔만 빌리고 싶다. 그리고 다시 한번, 해 보자. 나는 도쿄東京로 돌아왔다. 친구들이 힘써 준 덕분에 나는 형님에게, 앞으로 2, 3년 동안, 다달이, 50엔이라는 돈을 받을 수 있게 되었다. 나는 곧장 셋집부터 구하러 다녔는데 그러던 중에, 맹장염을 일으켜 아사가야阿佐ヶ谷에 있는 시노하라 병원에 입원하게 되었다. 고름이 복막까지 흘러들어, 때가 조금 늦은 상태였다. 입원은 올해 4월 4일 일이다. 나카타니中谷孝雄 다카오가 문병을 왔다. 일본낭만파日本浪曼派에 들어가자, 그 기념으로 「어릿광대의 꽃」을 발표하자, 그런 이야기를 했다. 「어릿광대의 꽃」은 단 가즈오가 가지고 있었다. 단 가즈오는 여전히 가와바타 선생님에게 가지고 가는 게 좋겠다고 우겼다. 나는 절개한 복부의 통증 때문에, 꼼짝도 못했다.

그러던 중에 나는 폐가 나빠졌다. 의식불명의 날이 계속되었다. 의사가 책임을 질 수 없다, 그런 말을 했다고, 나중에 아내가 말해 주었다. 꼬박 한 달을 그 외과 병원에 누워만 있었는데, 고개를 드는 것조차 힘에 부쳤다. 나는 5월에 세타가야구世田谷区교도에 있는 내과 병원으로 옮겼다. 거기서 두 달 있었다. 7월 1일, 병원 조직이 바뀌고 직원도 다 교체될 거라나 하는 이유로, 환자들까지 전부 쫓겨나는 모양새였다. 나는 형님과, 그리고 형님 친구 기타요시 시로라는 양복점 주인이 둘이 北芳四郎의해서 결정한, 치바현 후나바시라는 곳으로 보내졌다. 하루 종일 등나무의자에 千葉県 船橋엎드려, 아침저녁으로 가벼운 산책을 한다. 일주일에 한 번씩 도쿄에서 의사가 온다. 그런 생활이 두 달 정도 이어지던, 8월 말, 「문예춘추」를 서점 문 앞에서 읽었는데, 당신이 쓴 글이 있었다. 『작가 현재 삶에 불길한 구름 감돌아, 어쩌고저쩌고』. 정말이지, 나는 분노로 불타올랐다. 며칠 밤을 지새웠다.

새를 기르고, 춤을 구경하는 게 그렇게 훌륭한 삶인가! 배때기를 쑤셔 버리겠어.

그렇게도 생각했다. 악당이라고 생각했다. 그러던 중에, 문득, 넬리처럼, 자깝스러운 뜨겁고 강렬한, 나를 향한 당신의 애정을, 마음 저 깊은 곳에서 느꼈다. 아니. 아니라고 고개를 저었지만, 냉정한 척하고 있었지만, 도스토옙스키스러운 격렬하게 흐트러진 당신의 애정이 내 몸뚱이를 활활 달아오르게 했다. 그리고, 당신은 그런 사실을 전혀 깨닫지 못하고 있다.

나는 지금, 당신과 지혜 겨루기를 하자는 게 아니다. 나는, 당신이 쓴 그 글 속에서 「속세」를 느끼고, 「금전관계」라는 안타까움을 느꼈다. 나는 그 사실을 열성적인 독자 두세 명에게 알리고 싶을 뿐이다. 알려야만 한다. 우리는, 이제 바야흐로, 인내하고 순종하는 미덕을 의심하기 시작한 것이다.

菊池寬

기쿠치 간 씨가, 『뭐, 그래두 괜찮구만. 무난하니 괜찮구만.』 하고 싱글싱글 웃으면서 손수건으로 이마의 땀을 훔치는 광경을 떠올리며, 나는 이의 없이 미소를 짓는다. 정말로 괜찮았을 거라고 생각한다.

芥川龍之介

아쿠타가와 류노스케가 조금 가여워졌

지만, 뭐, 그것도 「속세」다. 이시카와 씨는 생활면에서 훌륭한 사람이다. 그 부분

에서 이시카와 씨는 정말 착실하게 노력하고 있다.

다만 나는 유감스러운 것이다. 가와바타 야스나리의, 태연한 척했지만, 끝내 태

연할 수 없었던 거짓말이, 유감스러워 견딜 수가 없는 것이다. 이럴 리가 없다. 분

명, 이럴 리가 없다. 작가란 「한심함」 속에서 살고 있는 존재임을, 당신은, 더 명

확하게 인식해야 한다.

≪왠지 불길해 보이는 후나바시 시절 초기≫ 1935년
다자이 오사무, 오야마 하쓰요

생각하는 갈대

中에서 —— 당연한 것을 당연하게 말하다

머리말

「생각하는 갈대」라는 제목으로, 일본낭만파 기관 잡지에 약 1년 정도 연재 글을 쓰려고 마음먹은 데는, 다음과 같은 이유가 있다.

『살기로 했으니까.』 나는 생업에 힘써야 하지 않겠는가. 간단한 이유다.

나는, 지난 4, 5년 사이에 벌써, 공짜 소설을 일곱 편이나 발표했다. 공짜라는 건, 돈을 받지 않았다는 뜻이다. 하지만 이 일곱 편은 각각 나름대로, 내가 평생 쓸 소설의 견본 역할을 해냈다. 발표할 당시엔 사생결단의 패기도 있었지만, 결과적으로 보면, 나는 그저, 저널리즘에 견본 일곱 편을 제출한 것에 지나지 않은 셈

이다. 내 소설에 매수인이 붙었다. 팔았다. 팔고 나서 생각했다. 이제, 슬슬, 공짜

소설을 쓰는 건 그만두자. 욕심이 생겼다.

『사람은 평생, 동일한 수준의 작품밖에 쓰지 못한다.』 장 콕토가 했던 말로 기

억한다. 오늘의 나 또한, 이 말을 구실로 삼는다. 한 편 더 보여 주시오, 딱 한 편

만 더 보여 주시오, 떠들썩한 시장의 외침에 나는 대답한다. 『똑같소. ─멍석을

깔아 주시오. ─마음에 들 것이오. ─그리워지면 찾아오시오. 나는 봉투 안에서

견본 일곱 편을 꺼내, 다시 한 번 보여주면 그만이오. 나는 그 일곱 편에 들이부은

내 피와 땀에 대해서는 말하지 않겠소. 보면 알 것이오. 이미 벌써 나에게는 선택

받을 자격이 있소.』 사겠다는 사람이 없으면 어쩌지?

나는 욕심이 생기고, 만사에 치사해져서, 거저 소설을 발표하는 것이 아깝게 느

껴지긴 했지만, 만약 사러 오는 사람이 없으면, 조만간에, 내 이름은 점점 잊힐 것

이고, 틀림없이 죽었을 거라고 어두컴컴한 오뎅집 같은 데서 소문이 돌겠지. 그러

면 내 생업도 있으나마나다. 이런저런 고민을 하고 나서 「생각하는 갈대」라는 제

목으로 매월, 혹은 격월 정도로 대여섯 장씩 다양한 이야기를 써 보자는 결론에 이

르렀던 것이다. 여러분들이 잊지 않도록 내가 공부하는 모습을 이따금씩, 흘깃 보

여 준다는 야비한 속셈일 수도 있고.

난해함

『태초에 말씀이 계시니라. 이 말씀이 하나님과 함께 계셨으니 이 말씀은 곧 하

나님이시니라. 이 말씀이 태초에 하나님과 함께 계셨고 만물이 그로 말미암아 지은

바 되었으니 지은 것이 하나도 그가 없이는 된 것이 없느니라. 그 안에 생명이 있

었으니 이 생명은 사람들의 빛이라. 빛이 어둠에 비치되 어둠이 깨닫지 못하더라.

어쩌고저쩌고.』 나는 이 문장을, 이 상념을, 난해하다고 생각했다. 여기저기 가지

고 돌아다니며 떠들어 댔다.

그렇지만, 어느 날 문득, 다른 각도에서 생각해 봤더니, 웬걸, 이 문장은 참으로 평범한 사실을 서술하고 있는 것에 불과했다. 그 후로 나는 이렇게 생각했다. 문학에 있어서, 「난해함」은 있을 수 없다. 「난해함」은 「자연」 안에 있는 것이다. 문학이란, 그 난해한 자연을, 각각 자기 스타일의 각도에서, 데꺽 자르(는 척 하)고, 그 절단면의 깨끗함을 뽐내는 행위에 숨어 있는 것은 아닐까.

서간집

어라, 당신은, 당신의 창작집보다도, 서간집에 신경을 쓰고 계십니다. ──작가는 맥없이 고개를 숙이고 대답했다. 예, 저는 지금까지, 꽤 많은 시시한 편지를, 여기저기 뿌려 왔습니다. (깊이 한숨을 쉬고는) 위대한 작가는 될 수 없을 겁니다.

웃자고 하는 얘기가 아니다. 나는 이상해서 참을 수가 없는 것이다. 일본에서는 위대한 작가가 죽으면, 그 후에 출간하는 전집에, 반드시 서간집이라는 것이 한두

권, 딸려 있다. 편지가, 작품보다 훨씬 양이 많은 전집도, 있었던 것 같은데, 거기

에는 또, 특수한 사정이 있었는지도 모른다.

작가의, 편지, 수첩의 파편, 그리고, 작가가 열 살 때 쓴 글, 그때 그림.

나한테는, 전부 시시하다. 고인이 된 작가와 생전에, 특별히 친분이 있어서, 지

금, 그 작가를 그리워하다 못해, 장난삼아 그린 그림을 모아서 화집 한 권, 출간

하여 가까운 친지와 친척에게 나누어 주는 건, 그건 또 별개다. 생판 남이 이러쿵

저러쿵 입을 놀릴 일이 아니란 말이다.

나는 일개 독자 입장에서, 예를 들어 체호프의 독자로서, 그의 서간집에서 무엇

하나 발견할 수 없었다. 나는, 그의 작품 「갈매기」 속 뜨리고린의 독백을 서간집

이 구석 저 구석에서 희미하게 청취할 수 있었을 뿐이다.

독자는 어쩌면, 여러 작가들의 서간집을 읽고, 거기에서 전혀 꾸미지 않은 작가

의 맨얼굴을 발견했다는 생각에 우쭐할지도 모르지만, 독자들이 서간집에서, 용케

도 찾아내 손에 쥔 것은 이 작가도 역시 하루에 세끼 밥을 먹었다, 저 작가도 역시 밤일을 좋아한다, 따위의 평범하고 속된 생활 기록에 지나지 않는다. 이미 빤히 아는 것들이다. 그야말로, 말하기조차 촌스러운 것들이다. 그럼에도 불구하고, 독자는, 한번 움켜쥔 귀신 모가지를 놓으려 들지 않고, 괴테는 아무래도 매독이었던 것 같아, 프루스트도 출판사에는 굽신굽신했다지, 바바 고쵸와 樋口一葉 허구치 이치요는 어떤 馬場孤蝶 사이였을까. 그렇게, 작가의 목숨이 깃든 작품집은, 문학 초보자나 보는 것이라 경시하고, 오로지 일기나 서간집만을 찾아다니는 것이다. 옛말에 이르기를, 장수를 쏘려면 말을 쏘라고 했다. 문학론은 도무지 들을 수 없고, 가는 곳마다 가는 곳마다 전부 인물평만 화려하다.

작가 된 자들, 또한 이런 현상을 묵시하지 못해, 작품은 뒷전으로 미룬 채, 오로지 자기 서간집 작성에 분주하여, 십년지기에게 보내는 편지를 쓸 때에도, 하카마 차림에 부채를 들고, 한 글자 한 문장, 활자가 되었을 때 문자 배열이 주는 효과를

고려하고, 다른 사람이 엿봐도 이해할 수 있게끔 글에 일일이 불필요한 주석을 덧

붙이고, 그 번거로움, 때문에 작품다운 작품 하나 쓰지 못하고, 쓸데없이 편지의

달인이라는 명성만 높은, 그런 사람이 나오는 것은 아닐까.

서간집에 쓸 돈이 있다면, 작품집을 더욱 멋지게 꾸미는 게 낫다. 발표될 것이라

예상한 듯, 또는 예상하지 않은 듯, 애매한 편지, 또 일기. 개구리를 손에 쥔 것처

럼, 개운하지가 못하다. 차라리 어느 한쪽으로 결정하는 게, 그나마 낫다.

일찍이 나는, 서간도 없거니와 일기도 없는, 시 열 편에 번역시가 열 편 정도 실

린, 훌륭한 유작집을 애독한 적이 있다. 도미나가 다로라는 사람의 책인데, 그중에 富永太郎

시 두 편, 번역시 한 편은, 지금도 나의 어두운 가슴속에 등불을 밝힌다. 유일무이

한 것. 불후한 것. 서간집 속에는 절대로 없는 것.

병법 兵法

문장 중에, 이 부분은 잘라 버려야 좋을지, 그렇지 않으면, 그대로 두는 게 좋을

지, 어찌할 바를 모를 경우에는, 반드시 그 부분을 잘라 버려야 한다. 하물며, 그

부분에 무언가 더 써 넣는 일 따위, 당치도 않다고 해야 할 것이외다.

게에 대하여

阿部次郎

아베 지로의 에세이 속에, 『작은 게가 우리 집 부엌에서, 모로 뛰어올랐다. 게

도 뛰어오를 수 있는 건가, 그렇게 생각하니, 눈물이 났다.』는 문장이 있었다. 그

부분만큼은, 좋다.

우리 집 마당에도, 이따금, 게가 기어 들어온다. 당신은, 좁쌀만 한 게를 본 적

이 있는가? 좁쌀만 한 게와, 좁쌀만 한 게가, 목숨 걸고 싸우고 있었다. 나, 그

때, 미동조차 할 수 없었다.

「晩年」에 대하여

나는 이 단편집 한 권 때문에, 10년을 날렸다. 꼬박 10년, 보통 사람처럼 상쾌한 아침밥을 먹지 못했다. 나는, 이 책 한 권 때문에, 몸 둘 곳을 잃고, 끊임없이 자존심에 상처를 받고, 세상의 찬바람에 휩쓸리고, 그리고, 이리저리 방황했다. 수만 엔을 낭비했다. 큰형님 하신 고생에 고개가 수그러진다. 혀를 데고, 가슴을 태우고, 일부러 내 몸을, 도저히 회복 불가능할 때까지 상하게 했다. 백 편이 넘는 소설을, 찢어 버렸다. 원고지 5만 장. 그리고 남은 것은, 겨우, 이것뿐이다. 이것뿐. 원고지, 6백 장에 달하는 양인데, 원고료, 전부 해서 육십 몇 엔이다.

그렇지만, 나는, 믿고 있다. 이 단편집, 「만년」은, 해가 갈수록, 점점 더 짙은 빛으로, 당신의 눈으로, 당신의 가슴으로 파고들 것임에 틀림없다는 사실을. 나는 오직 이 책 한 권을 쓰기 위해 태어났다. 오늘 이후로 나는 완전한 송장이다. 나는 여생을 보낼 것이다. 그리고, 내가 오늘 이후로 오래 살아서, 다시 한 번 단편집을 내야 하는 일이 생긴다면, 나는 그 책에, 「가루타歌留多」라는 제목을 지어 주려 한다. 가루타, 말할 것도 없이 유희다. 게다가, 돈을 거는 유희다. 우습게도 그 후로, 더 오래 살아, 세 번째 단편집을 내게 된다면, 나는 그 책에, 「심판審判」이라는 제목을 붙여야 할 것 같다. 모든 유희에 임포텐스가 된 나로서는, 완벽하게 생기가 결여된 자서전을 서걱서걱 써 나가는 것 말고는, 다른 길이 없으리라. 나그네여, 이 길을 피해서 지나가라. 이는, 분명 허무한 길이므로, 라고 심판이라는 등대는, 이 세상 것 아닌 엄숙함으로 말할 것이다. 그렇지만 오늘 밤의 나는, 그렇게 오래 살고 싶지 않다. 자신의 스파르타를 더럽히기보다는, 닻을 몸에 휘감고 물에 뛰어들고 싶다는 생각조차 든다.

어떠하든, 「만년」 한 권, 당신의 그 두 손으로 때 묻어 검게 윤이 날 때까지, 거듭거듭 애독될 것을 생각하면, 아아, 나는 행복하다. ──한순간. 사람이, 일생 동안, 진정한 행복을 맛볼 수 있는 시간은, 그것은, 백 미터에 10초는커녕, 훨씬 짧을 것이다。 들려오는 목소리, 「거짓말! 불행한 출판이라면, 그만두는 게 좋다。」

대답하여 가로되, 「나는, 현세에 둘도 없이 아름다운 존재。 메디치의 비너스상。

현세의 진정한 아름다움의 실증을, 이 세상에 남기기 위해 출판한다。

보라! 표정으로 드러날 만큼 수치스러워하는 비너스상의 모습을。 이것이, 내

불행의 시작。 또한, 춘하추동 언제나 알몸인 채, 영영 말이 없는, 조금은 냉랭한

얼굴이야말로, (미인박명) 하늘의 이 끝 간데 없이 냉혹한 질투의 채찍을, 저고

아한 눈으로 당신에게 가만히 가르쳐 주는도다。」

≪메디치의 비너스≫

사토 하루오 님께

佐藤春夫

삼가 아룁니다.

한 마디 거짓도 추호의 과장도 하지 않겠습니다. 물질의 고통이 겹겹이 쌓여 죽을 일만 생각하고 있습니다. 의지할 데라고는 사토 하루오 님뿐입니다. 저는 은혜를 아는 사람입니다. 저는 훌륭한 작품을 썼습니다. 앞으로, 더더욱, 훌륭한 소설을 쓰겠습니다. 저는, 앞으로 10년은 더 살고 싶습니다. 저는, 착실한 사람입니다. 착실하지만, 지금까지 운이 나빠서, 죽기 일보직전까지 가 버렸던 것입니다. 아쿠타가와상을 받는다면, 저는 사람의 정에 눈물을 흘리겠습니다. 그리고, 어떠한 고통과도 맞서 싸우며, 살아갈 수 있을 것입니다. 힘이 날 것입니다. 비웃지 마시고, 제발 저를 살려 주십시오. 사토 님은 저를 살릴 수 있습니다. 저를 미워하지 말아 주십시오. 저는 기필코 은혜에 보답할 수 있습니다. 직접 찾아뵙는 게 좋을까요. 며칠 몇 시든 오라고만 하신다면 눈보라 폭풍우를 뚫고서라도 달려가겠습니다. 염치없지만 덜덜 떨면서 기도하고 있겠나이다.

다자이 오사무 드림

사토 하루오 님 앞

번민일기

○월 ○일

우편함에, 살아있는 뱀을 던져 넣고 간 사람이 있다. 분노. 하루에 스무 번씩, 자기 집 우편함을 들여다보는 안 팔리는 작가를, 비웃는 놈이 저지른 소행이 틀림없다. 기분이 나빠져서, 종일, 누워 있었음.

○월 ○일

고뇌를 자랑거리 삼지 말라, 고 지인에게 편지가 왔음.

○월 ○일

컨디션이 좋지 않음. 혈담이 계속됨. 고향에 알렸으나, 믿지 않는 눈치. 마땅한

구석에, 복숭아꽃이 피었습니다.

○월 ○일

유산이 백 50만이었다고. 지금은, 얼마나 있는지, 전혀, 알 수 없음. 8년 전, 호

적에서 파였다. 친형의 정에 의지해, 오늘까지 살아 왔다. 이제부터, 어떡한담?

스스로 생활비를 버는 건, 꿈에도 생각한 적 없음. 이대로라면, 죽는 것 말고 길이

없다. 이날, 떳떳하지 못한 일을 해서, 꼴 좀 봐라, 문장이 지저분하고, 엉터리다.

단檀가雄즈오 씨 방문. 단 씨에게 40엔을 빌리다.

○월 ○일

단편집 『만년』의 교정. 이 단편집이 마지막이 되는 건 아닐까, 문득 생각한다.

분명 그렇게 되겠지.

○월 ○일

지난 한 해, 나에 대해서 악담을 하지 않은 사람은, 세 명? 더 적은가? 설마.

○월 ○일

누님의 편지.

『방금, 20엔 보냈으니 받거라. 항상 돈을 재촉하니 나도 정말 난처하구나. 어머니께도 말씀 못 드리겠고, 내 수중에서 보내려니, 정말로 난처하구나. 어머니도 돈은 많지 않아. (중략) 돈은 소홀히 다루지 말고 절제하며 써야 한다. 지금은 조

62

금이라도 잡지사 쪽에서, 받고 있겠지. 너무, 남에게 기대지 말고, 열심히 견디거라. 무슨 일이든 조심해서 하거라. 몸조심하고, 친구들과 너무 어울리지 않도록 하는 게 좋겠다. 가족들이 조금이라도 안심할 수 있게 행동하거라. (후략)』

○월 ○일

온종일, 꾸벅, 꾸벅. 불면이, 시작됐다. 이틀 밤. 오늘 밤, 못 자면, 사흘 밤.

○월 ○일

새벽녘, 의사한테 가는 골목길. 지날 때마다 다나카田中克己 씨의 시가 떠오른다. 이 길을 울면서 나 지나갔음을, 내 잊으면 뉘라서 알리오. 의사한테 억지를 부려 모르핀을 쓴다.

정오 지나 눈을 뜨니, 이파리의 푸른 빛, 어쩐지 불안하고, 슬펐다. 건강해지자고 다짐했습니다.

○월 ○일

부끄럽고 부끄러워 견딜 수 없는 곳의, 한가운데를, 집사람은, 아무렇지도 않게, 말로 찌른다. 펄쩍 뛰었다. 게다 신고 기찻길로! 한순간, 우뚝 버티고 섰다. 화로를 건어찼다. 양동이를 건어찼다. 작은방으로 가서, 주전자를 장지문에! 장지문 유리가 소리를 냈다. 밥상을 건어찼다. 벽에 간장. 밥공기와 접시. 내 몸 대신이다. 이렇게, 때려 부수지 않으면, 나는 살 수 없다. 후회 없음.

○월 ○일

5척 7촌의 털북숭이. 창피해서 죽다. 그런 구절을 떠올리고는, 혼자서 킥킥 웃었다.

○ 월 ○ 일

山岸外史
야마기시 가이시 씨 방문. 사면초가구만, 하고 내가 말하자, 아니, 이면초가쯤

일세, 라고 정정했다. 아름답게 웃고 있었다.

○ 월 ○ 일

말하지 않으면, 근심이 없는 것 같다, 라고 했던가요. 꼭, 들려주고픈 이야기가

있습니다. 아니, 이제 괜찮습니다. 그냥, ──어젯밤, 1엔 50전 때문에, 세 시간

이나 집사람과 말다툼을 했습니다. 속상해 죽겠습니다.

○ 월 ○ 일

밤, 혼자 변소에 갈 수 없다. 뒤에, 머리가 작고, 하얀 유카타를 입은 호리호리

한 열대여섯 살 남자아이가 서 있다. 지금 나에게, 뒤를 돌아보는 일은, 목숨을 거는 일이다. 확실히, 머리가 작은 남자가 있다. 야마기시 가이시 씨의 말에 따르면, 내 5、6대조 조상이, 말로 할 수 없을 만큼 잔인한 짓을 해서、라고. 그럴지도 모른다.

○월 ○일

소설을 다 썼다. 이다지도 기쁜 것이었던가. 다시 읽어보니, 좋구나. 친구 두엇에게 기별. 이것으로, 빚을 모두 갚을 수 있다. 소설 제목, 「백원광란」

《마약성 진통제 파비날에 중독되어 고생할 당시》 1936년
다자이 오사무

집필 후기

집필 후기, 라고나 할까, 그런 것을 부탁드립니다, 라고 편집자가 보낸 편지에

는 적혀 있었다. 편지는 다소, 민망해하는 말투였다. 그런 말을 들으면, 정작 민망

한 것은, 작가다. 본 작가는, 아직 거의 무명으로서, 집필 후기 비슷한 것은 고사

하고, 집필 그 자체도 놓쳐 버린 후, 뒤쫓아 가다가 근심, 하면서 드러눕고, 또다

시 일어나 독서, 하다가 갑자기 화가, 나서 길거리를 방황, 하며 걸어 다니면서 시

한 편, 읊는 등 참으로 말도 안 되는 응석받이 문학 서생에 불과한 고로, 집필 후

기, 네 그렇습니까, 하고, 고리타분한 고생담을 그럴싸하게 엮어 쓰는 재주는 흉내

도 못 낸다.

쓸 수 있을 것 같기는 한데, 나는, 일부러, 못 씁니다, 라고 한다. 억지로라도,

그렇게 말한다. 문단의 상식을 부숴야만 한다고 굳게 믿기 때문이다. 상식은, 좋은

것이다. 거기에 따르지 않으면 안 된다. 하지만 상식은, 10년마다 비약한다. 나는,

인간 세상의 모든 현상을 파악하는 데 있어서는, 헤겔 선생을 지지한다.

사실은, 마르크스, 엥겔스 두 선생을, 이라고 말하고 싶은데, 아니, 레닌 선생

을, 이라고 말하고 싶은데, 본 작가, 원래, 언행일치라는 것에, 기묘하리만치 집

착하는 남자라, 아니지, 그렇게 말해도 안 되겠다, 본 작가, 원래, 비참함을 사랑

하는 풍류가로서, 안심입명(安心立命)의 경지를 목격하고, 모든 것을 붕괴의 전제로 삼아, 아

아, 뒷말은, 여러분 중에서, 마음 있는 분, 이어서 쓰도록.

이와 같이, 본 작가는, 게으르다. 교활하다. 이러지도 저러지도 못하는 지경까

지 이른 것 같다. 얄미운가?

얄미울 거 없다. 나는, 지금 이 세상에서 가장 적절한 표현으로, 여러분들에게

말을 걸고 있을 뿐이다. 나는, 지금 이 현실을 사랑한다. 농담이 진담이 되는 이

현실을.

알겠는가? 불쾌한가?

너 자신, 그대 스스로가 불쾌한 존재임을 깨달아야 한다. 당신은, 무력하다.

비난은, 자기의 약함에서, 위로는, 자기의 강함에서 나온다. 부끄러워하도록.

자기변명이 아닌 글을 읽고 싶다.

작가라는 자들은, 꽤나 허풍선이라서, 자기가 남모르게 고생해서 쓴 작품도, 고

생하지 않은 척하며 과시하고 싶어 한다.

내가, 제 첫 단편집 「만년」 이백마흔한 페이지를, 단 사흘 만에 썼습니다, 라고

하면, 여러분은, 어떤 표정을 지을까. 또, 다 쓰는 데는 꼬박 십 년이 걸렸다면서

장하다는 듯 눈을 내리뜨고 있으면, 여러분은, 어떤 표정을 지을까. 그 부분에 대

한 태도를, 확실히 해 주었으면 한다. 천재의 기적인지, 아니면, 견마지로(犬馬之勞)인지.

아쉽게도、나의 경우、견마지로도 뭣도 아닌、흥 깨지는 말이라 송구하지만、人糞之勞

인분지로、갖은 똥을 싸 가며 겨우 완성한 이백몇 페이지였다。그나마도、결코 혼

자 힘으로、했다고는 말하지 않겠다。수십 명의 지혜로운 선현들의 손에 이끌려、

거의、가나다라부터 맞아 가며 가르침을 받아、그리하여、간신히 한 권、덜덜 떨면

서 완성했다。

재미있나?

약간 농담이 지나쳤던 것 같다。나는、지금、책상 앞에 꿇어앉아、말하자면、잡

아먹을 듯한 얼굴로、이 글을 쓰고 있다。이 짧은 글을 쓰기 위해、나는、사흘 밤

을、심사숙고했다。세상의 상식이라는 것에 대해 생각했다。우리는、오롯이、다음

시대의 작가이다。그 사실을 믿어야 한다。그렇게 될 수 있도록 노력해야 한다。뜻

한 바 대부분이、여러분에게도 전해졌을 줄로 믿는다。

나는、요즘、알렉상드르 뒤마의 작품을 읽고 있다。

『만년^{晩年}』에 대하여

『만년』은, 제 첫 소설집입니다. 이제, 이것이, 저의 유일한 유작이 될 거라 생각했기 때문에, 제목도, 『만년』으로 정했습니다.

읽어 보면 재미있는 소설도, 두세 편 있으니까, 시간 날 때 읽어 주세요.

제 소설을, 읽었다 한들, 당신의 삶은, 조금도 편해지지 않습니다. 조금도 나아지지 않습니다. 아무것도 변하지 않습니다. 그래서, 저는, 그다지, 권할 수 없습니다.

「추억」 같은 건, 읽어 보면 재미있지 않을까요? 분명, 당신은, 크게 웃을 겁니다. 그걸로 되는 겁니다. 「로마네스크」 같은 것도, 우스꽝스러운 엉터리로 차고 넘치지만, 이것은, 조금, 조잡해서, 그다지, 권할 수 없습니다.

이 다음에, 한 편, 그냥, 쉽고 재미있는 장편소설을 써 드리겠습니다. 요즘 소설, 죄다, 재미가 없지요?

다정하고, 애처롭고, 우습고, 고상하고, 그 밖에 무엇이 필요할까요?

있잖습니까, 읽었을 때 재미없는 소설은 말이지요, 그것은, 어설픈 소설입니다.

무서울 게 뭐냐. 재미없는 소설은, 딱 잘라 거절하는 게 좋습니다.

모두, 재미가 없으니까요. 재미있게 하려고 애쓰는데, 전혀 재미도 뭣도 없는 그런 소설은, 그런 건, 어휴, 왠지 죽고 싶군요.

이런, 말투, 얼마나 불쾌하게 들릴지, 저, 알고 있습니다. 그야말로 사람을 업신여기는 말투인지도 모릅니다.

그렇지만 저는, 제 느낌을 속이지 못하겠습니다. 시시하니까요. 이제 와서, 당신에게, 아무 말도 하고 싶지 않습니다.

격정이 극에 달하면, 사람은, 어떤 표정을 지을까요. 무표정. 저는 미소 짓는 가면이 되었습니다. 아니, 잔인한 부엉이가 되었습니다. 무서울 게 뭐냐. 저도, 이제 겨우 세상을 알았다, 이겁니다.

「만년」을 읽으시겠습니까? 아름다움은, 남이 가리켜서 보는 게 아니라, 스스로, 자기 혼자서, 문득 발견하는 것입니다. 『만년』 속에서, 당신은, 아름다움을 발견할 수 있을지 어떨지, 그것은, 당신의 자유입니다. 독자의 황금 같은 권리입니다. 그래서, 그다지 권하고 싶지 않은 겁니다. 모르는 녀석은, 후려갈겨도, 끝까지 이해할 턱이 없으니까.

이제, 이것으로, 마치겠습니다. 제가 지금, 아주 재미있는 소설을 쓰는 중이라, 반쯤 건성으로, 썼습니다. 용서 바랍니다.

≪치바현 후나바시의 자택≫

답안낙제

「小說修業

소설 수업에 대해 이야기하라」라는 문제는, 나를 곤혹케 했다. 취직 시험을

보러 갔는데, 소학교 산수 문제를 받아 들고, 크게 낭패하는 모양새와 비슷하다.

원의 면적을 산출하는 공식도, 쓰루카메잔 응용문제 공식도, 가물가물해서 차라

리 방정식으로 하라라면 할 수 있는데, 라는 둥, 몹시 난감해하는 모양새와 얼마간

비슷하다.

여러 가지로 복잡하게 낯이 간지럽고, 나는, 부끄러운 심정이다.

스타트라인에 늘어서 있다가, 미처 출발 신호인 피스톨 소리가 울리기도 전에 뛰

쳐나가, 심판이 제지하는 목소리도 듣지 못한 채, 죽어라 달리고 달리기를 마침내

백 미터, 득의에 찬 얼굴로 결승선에 뛰어들고, 그리고 사진 기자의 플래시 세례를 기대하며, 씩 웃었는데, 조금 상황이 이상하네, 박수갈채 하나 없고, 경기장에 가득한 사람들, 모두 딱하다는 듯 그 선수의 얼굴을 쳐다보고 있다. 선수 비로소, 퍼뜩 자기 실수를 깨닫고, 창피하기도 하고, 답답하기도 하고, 아무튼 도무지 말이 아니다.

다시금 나는, 맥없이 출발점으로 되돌아가서, 지쳐 녹초가 된 몸으로, 쌕쌕 거친 숨을 몰아쉬며, 스타트라인에 섰다. 플라잉을 범한 벌칙으로, 다른 선수보다 1 미터 뒤 지점에서 출발해야 한다. 『준비!』 심판의 냉혹한 목소리가, 다시 울려 퍼진다.

나는 착각하고 있었다. 이 레이스는 백 미터 경쟁이, 아니었던 것이다. 천 미터, 5천 미터, 아니, 훨씬 긴 마라톤 경기였다.

이기고 싶다. 추하게 조바심을 내다가 모든 정력을 써 버리고, 이렇게 지쳐 버렸지만, 그렇지만, 나는 선수다. 이기지 않으면 살아갈 수 없는, 단순한 선수다. 누군가, 이 가망 없는 선수를 위해, 성원을 보내 줄 고매한 선비는 없는가.

재작년쯤에, 나는 내 생애에 풍크트^{마침표}를 찍었다. 죽을 거라 생각했다. 믿었다. 그럴 수밖에 없는 숙명을 믿고 있었다. 내 생애를 스스로 예언했다. 신을 모독한 것이다.

죽을 거라 생각했던 것은, 나뿐만이 아니었다. 의사도, 그렇게 생각했다. 집사람도, 그렇게 생각했다. 친구들도, 그렇게 생각했다.

그러나, 나는, 죽지 않았다. 신이 어지간히도 나를 총애하고 있음이 틀림없다.

바라던 죽음은 주어지지 않고, 그 대신 현세의 엄숙한 고통이 주어졌다. 나는, 쑥쑥 살이 쪘다. 애교도 없고 뻣뻣한, 그저 살찌고 못생긴 서른 살 땅딸보에 지나지 않았다. 이 사내를 신은, 세상의 조소와 지탄과 경멸과 경계와 비난과 유린과 묵살의 불꽃 속에 처넣었다. 사내는 그 불꽃 속에서 한참을 꿈틀댔다. 고통의 비명

은, 더욱더 세상의 비웃음을 크게 만들 뿐이므로, 사내는, 모든 표정과 말을 억누

른 채, 그리고, 한낱, 애벌레처럼, 꿈틀댔다. 끔찍하게도, 사내는, 더더욱 강해졌

지만, 털끝만 한 살가움도 남지 않게 되었다.

진지함. 이상하게, 진지해졌다. 그리하여, 다시 출발점에 섰다. 이 선수에게는,

가망이 있다. 경쟁은, 마라톤이다. 백 미터, 2백 미터짜리 단거리 레이스에서는,

이제, 이 선수, 전혀 가망이 없다. 발이 너무 무겁다. 보라, 저 둔중한, 소와 같은

풍모를.

변하려면 변하는 법이다. 50미터 레이스라면, 아무튼 이번 세기에는, 그의 기록

을 깰 자가 없을 거라고, 팬들이 수군거리던, 선수 자신도 은근히 그렇게 인정하

던, 영리하고 날렵한 매와 같던 다자이 오사무라 하는 젊은 작가, 이것이 다시 태

어난 모습인가. 머리는 나쁘고, 문장은 어설프고, 무식하고, 만사에 요령 없고,

곰손에다, 덤으로 추한 외모, 딱 하나 장점은, 몸이 튼튼한 것뿐이었다.

의외로, 장수하는 건 아닐까?

이런, 헛소리를 지껄이고 있자면, 끝이 없다. 뭔가 하나, 알맹이가 있는 이야기라도 할까나. 알맹이가 있고, 없고, 그런 말도 이상하지만, 옛날에 어떤 박사가 발전기를 발명하고 의기양양해 있었는데, 한 귀부인이, 그런데 박사님, 그 전기라는 것이 생겼다고 해서, 그게 어떻게 된다는 거지요? 하고 질문을 하자, 박사는 크게 난처해하며, 갓 태어난 아기에게, 너는 무엇을 이룰 거니? 하고 질문해 보십시오, 라고 대답하고 도망쳐 버렸다나 하는 이야기가 있지만, 수천만 년 전 세상에는, 어떤 동물이 있었는지, 1억 년 후에는 이 세상이 어떻게 될지, 그런 이야기가, 과연 알맹이가 있는지 어떤지. 나는 알맹이가 있는 이야기라고 생각하는데.

배니티. 그 강인함을 얕봐서는 안 된다. 허영은, 어디에나 있다. 절 안에도 있
vanity

다. 감옥 안에도 있다. 무덤에도 있다. 그것을, 보고도 못 본 척해서는, 안 된다.

똑바로 뒤돌아서서, 자신의 배니티를 마주하고 이야기해 보는 게 좋다. 나는, 타인의 허영을 비난하려는 게 아니다. 단지, 자신의 배니티를 거울에 비추어 잘 살펴보라, 고 말하는 것이다. 살펴본, 결과는 굳이 다른 사람에게 말하지 않아도 된다. 말할 필요 없다. 그러나, 한 번은, 똑똑히, 거울 앞에 서서 확인해 둘 필요는, 있다. 한번 본 사람은, 그 사람은, 생각이 깊어질 것이다. 겸손해질 것이다. 신에 대해 생각하게 될 것이다.

거듭 말한다. 나는, 배니티를 나쁜 것이라고는 말하지 않았다. 그것은 어떤 경우, 생활 의욕과 연결된다. 높은 리얼리티와도 연결된다. 애정과도 연결된다. 나는, 많은 사상가들이, 신앙이나 종교에 대해서 설파하지만, 그 일보직전에 있는 현세의 배니티에 대해서는 솔직히 언급하지 않는 것이 이상하게 여겨질 뿐이다. 파스칼은 조금 했지만.

배니티는, 처량한 것이다. 그리운 것이다. 그런 만큼, 어쩔 수가 없는 것이다.

긴 것이다. 마라톤인 것이다. 지금 당장 한꺼번에, 모든 문제를 해결하려 하지

말라. 느긋하게 마음먹고, 하루하루를, 적어도 후회 없이 보내도록. 행복은, 3년

늦게, 온다고 하잖나.

≪다자이 인생의 전환점이 된 천하찻집≫

후지산에 대하여

고슈 甲州 미사카고개 御坂峠 정상에, 「천하 찻집」天下茶屋이라는, 아담한 찻집이 있다. 나는, 9월 13일부터, 여기 찻집 2층을 빌려서 조금씩, 변변찮은 일을 진행하고 있다. 이 찻집 사람들은, 친절하다. 나는, 당분간, 여기에 머물며, 일에 힘쓸 작정이다.

천하 찻집, 정확히는, 「천하제일찻집」天下一茶屋이라고 한다. 바로 근처 터널 입구에도 「천하제일」이라는 큰 글씨가 새겨져 있고, 아다치 겐조 安達謙蔵, 라고 서명이 되어 있다. 이 주변 전망은, 천하제일이다, 뭐 그런 의미겠지. 여기에 찻집을 지을 때도, 상당히 격심한 경쟁이 있었다고 들었다. 도쿄에서 온 유람객들도, 반드시 여기에서 잠깐

쉰다. 버스에서 내려, 일단 절벽 위에 서서 소변을 보고, 그리고, 아아 경치 좋다,

하고 감탄하는 소리를 뱉는 것이다.

유람객들의, 그런 탄성을 접하고서, 나는 이 층에서 일이 힘들면, 벌러덩 드러누

운 채, 그 천하제일이라는 전망을, 곁눈으로 본다. 후지산이, 손에 잡힐 만큼 가까

이 보이고, 가와구치 호수가, 그 발치에 차갑고 하얗게 펼쳐져 있다. 이렇다 할 것
河口湖

도 없다. 나는, 고개를 저으며 한숨을 뱉는다. 이도 내가, 풍류를 모르는 탓일까.

나는, 이 풍경을, 거부하고 있다. 가까이 있는 가을 산이 구도의 양쪽 끝을 틀어

막고, 그 사이에 호수, 푸른 하늘, 아름다운 후지산, 이렇게 풍경을 쳐내는 방식에

서, 뭔가 견딜 수 없는 부끄러움이 느껴지지는 않는가. 이거는 뭐, 완전히, 대중목

욕탕 페인트 그림이다. 연극 배경 그림이다. 너무나 원하는 대로다. 후지산이 있

고, 그 아래에 하얗게 호수, 천하제일 좋아하네, 하고 말하고 싶다. 지나치게 정교

한 결말. 억지로 완성시킨 부자연스러움. 그렇게 느끼는 것도、그것도、내가 어린

탓일까.

소위「천하제일」의 풍경에는 항상 경이로움이 수반되어야 한다. 나는、그런 의
미로、화엄華嚴 폭포를 권한다.「화엄」이라니、이름 잘 지었다、고 생각했다. 괜히、
격렬함、강렬함을 추구하는 건、아니다. 나는、도호쿠東北 태생이지만、지척도 분간
못 하는 눈보라 치는 황야를、절경이라고는 설마하니 말하지 않겠다. 인간에게 무
관심한 자연의 정신、자연의 종교、그러한 것이、아름다운 풍경에도 역시 절대 필
요하다、고 생각할 뿐이다.

후지산을、거꾸로 뒤집은 흰 부채라느니 하면서、술자리 말장난으로 사사오입하
는 건、납득할 수 없다. 후지산은 용암으로 된 산이다. 새벽녘 후지산을 보라. 혹
투성이 산줄기가 아침 해를 받아、구릿빛을 발한다. 나는、오히려、그런 후지산의

모습에, 숭고함을 떠올리고, 천하제일을 느낀다. 찻집에서 양갱을 먹으면서, 흰 부채를 뒤집었다느니, 가여운 생각이 든다. 덧붙여, 이 글, 찻집 사람들은, 읽지 않았으면 하는데. 나를, 꽤 살뜰하게, 보살펴 주고 있으니까.

富士には
月見草が
よく似合ふ

후지산에는
달맞이꽃이
잘 어울린다

太宰治
다자이 오사무

≪다자이 오사무가 「인간실격」을 집필한 책상≫

9월 10월 11월

(上) 미사카에서 고심한 일

甲州 御坂峠 미사카고개 정상에 있는 찻집 2층을 빌려, 장편소설을 조금씩 써 나가다가, 9월, 10월, 11월, 석 달째에, 간신히, 찻집 아주머니, 아가씨들하고 잡담을 거리낌 없이 할 수 있을 만큼, 친해졌다. 숙소에 도착해서, 곧바로 여종업원들에게 가벼운 농담을 던질 수 있는, 요령 좋은 남자는 아닌 게다. 게다가 나는 지금까지 터무니없는 놈처럼 소문이 나 있어서, 남들하고 똑같이 서서 오줌을 누어도, 아아, 역시 저 새끼는 몰상식해, 하고 다짜고짜 손가락질을 받을 것이니, 여행을 가도, 남보다 갑절이나, 내 몸가짐에 신경 써야 한다。

나는, 얌전하게 매일, 책상 앞에 앉아 있었다. 아주머니도, 아가씨들도, 처음에는, 나의 얌전함에, 오히려 기괴함을 느꼈는지, 저 손님은 여자 같다, 고 험담을 했는데, 나는, 그걸 언뜻 듣고, 아아, 너무 얌전해도 안 되는 건가, 하고 분한 마음이 들었다. 그 후로 되도록이면, 말을 하기로 했다. 저녁에 밥상을 들고 오는 아가씨에게도, 뭔가 한마디 말을 걸고 싶어서 고심하지만, 도저히 가볍게 툭 나오질 않는다. 입을 열면, 왠지 인생 문제를, 연설조로 크게 호통을 칠 것만 같은 기분이 들어서, 도저히 그냥 하는 말은, 못 하겠다. 어지간히 진지한 남자다. 결국 어느 날 밤, 밥상을 들고 방으로 들어오는 아가씨를 보자마자 뿜어 버렸다. 내 고민이, 털북숭이 거한이, 상냥하게 말을 걸어 보고자 하는 필사적인 고민이, 우스웠기 때문이다. 아가씨 얼굴이 새빨개졌다.

나는, 가여운 생각이 들어서, 아니, 아가씨를 보고 웃은 게 아니라, 내가, 너무꿈작도 않고 있으니까, 오히려 직원들이 기분 나쁘게 생각하는 것 같아서, 격정이 돼서, 매일 저녁에, 아가씨가 밥상을 가지고 올 때만이라도, 뭔가 가벼운 잡담 같은 걸 해 보려고, 이런저런 생각을 하는데, 어째, 생각을 하면 할수록 할 말이 없어지니까, 나도 기가 막혀서, 웃었어요, 하고 우물우물 변명했다. 그랬더니, 아가씨는, 차분히 내 옆에 앉더니, 저도 뭔가 말을 하려고 하는데, 손님이 너무 말을 안 하시니까, 그만, 저도 생각이 많아져 버려서, 아무 말도 못 하겠어요. 생각을 하면 할 말이 없어지나 봐요, 하고 대답했다. 나는 미소 지었다. 그걸로 끝, 할 말이, 또 없어졌다. 어쩌지, 할 말이 없네, 하고 말하며 웃었더니, 아가씨는, 내가 거북해하는 것을 눈치채고, 남자는 과묵한 게 좋아요, 하는 말을 남기고 후다닥 방에서 나가 주었다.

차차 찻집 사람들도, 저 손님은, 그저 입이 무거울 뿐, 별달리 나쁜 꿍꿍이가 있는 사람은 아니라는 사실을 알게 된 모양인데、손님 색시 될 사람은 좋겠어요、시중들기가 편해서、하고 주인 아주머니는 농담을 하고、나는 어이없어서 웃고、이렇게 겨우 허물이 없어졌다 싶을 즈음、벌써 11월、고개의 한기、견디기 힘들어졌다.

(中) 미사카에서 퇴각한 일

슬슬 나는、게을러지기 시작했다. 무슨 일이 있어도 3백 장 정도 되는 장편을 쓰고 싶다. 아직 절반도 완성이 안 되었다. 지금이、중요한 대목이다. 하루 종일 멍하니 책상 앞에 앉아 담배만 피우고 있다. 찻집 아주머니가、제일 먼저 걱정하기 시작했다. 일 잘 되시나요? 하고 내가 아래층에 있는 스토브를 쬐러 갈 때마다、그렇게 묻는다. 못 하겠어요. 추워서、못 살겠어요、하고 나는、자신의 태만을、계절 탓으로 돌린다. 아주머니는、버스를 타고、고개 아래 요시다(吉田)에 가서、고타쓰를 하나 사 왔다.

그때, 우아한 모양의 슬리퍼도 같이 사 왔다. 복도를 걸을 때 발바닥이 시릴까

봐 신경이 쓰인 모양이다. 나는 그 슬리퍼를 신고, 2층 복도를 팔짱을 낀 채, 어

슬렁어슬렁 걸어 다니면서, 가끔 후지산을 언짢다는 듯 째려보다가, 금세 방으로

들어가, 고타쓰에 파묻혀, 아무것도 하지 않는다. 아가씨도 기가 막힌 듯, 내 방을

걸레질하면서, 손님, 익숙해지시더니 안 좋아지셨네요, 하고 정말로 기분이 안 좋

은 듯 중얼거렸다. 나는, 돌아보지도 않고, 그런가, 안 좋나? 아가씨가 내 등 뒤

에서 도코노마를 床の間 걸레로 훔치면서 말하기를, 그래, 안 좋다, 요즘은 담배도, 하루

일곱 개비씩 피우고, 일, 일은, 전혀 진전이 없고, 간밤엔, 내가 2층을 둘러보러

왔더니, 벌써 쿨쿨 자고 있더라, 오늘은, 일 좀 해라. 손님 원고 순서 맞추는 게,

매일 아침, 아주 기다려지니까, 많이 되어 있으면, 기분이 좋더라.

나는, 고마운 마음이 들었다. 이 아가씨의 감정에는, 털끝만큼도 「이성」이라는 의식이 없다. 과장해서 말하자면, 꿋꿋하게 살아가는 인간의 노력에 대한 응원인 것이다.

그렇지만, 그 어떤 인정도, 추위를 이겨내지는 못한다. 나는 도호쿠東北 태생인 주제에, 추위에 약하고, 콜록콜록 수상한 기침까지 나와, 결국 하산을 결정했다. 도쿄로 돌아가면, 빈둥빈둥 놀아 버려서, 일을 하지 못한다는 걸 아니까, 어쨌든, 이 소설의 윤곽이 잡힐 때까지만, 하며 일단, 고개 밑 고후甲府 시내로 내려왔다. 상황이 괜찮으면 고후에서, 쭉 일을 계속할 작정이다.

고후의 지인에게 부탁해, 하숙집을 구했다. 고토부키칸壽館. 두 끼 포함, 22엔. 남향 육첩방이다. 이불도, 솜 누비옷도, 지인 집에서 빌려 왔다. 이걸로, 숙소는, 정해졌다. 방에 딸려 있는 책상 앞에 앉아, 오른쪽 서랍에는, 다 쓴 원고지를, 왼쪽

서랍에는, 아직 더럽혀지 않은 원고지를. 왠지 일이, 될 것 같다. 여기서도, 난,

처음에는 기분 나쁠 정도로 얌전히, 그리고, 석 달째에, 겨우 익숙해지고, 익숙해

지자마자 안 좋아지고, 일을 게을리하고, 그러다 다른 데로 가겠지. 아아, 그때까

지, 좋은 글을, 쓸 수 있으면 좋겠다. 다른 건, 아무것도 필요 없다.

나는, G펜을 사러, 마을로 나갔다.

(下) 고후를 정찰한 일

반짝반짝 빛나는 G펜을, 가득 지갑에 넣어, 품에 안고 건노라니, 왠지 내가 청

결하고, 아주 싱싱해진 것 같아, 기분이 좋다. 나는, G펜을 사고 나서, 고후 시내

를 어슬렁어슬렁 걸어 다녔다.

고후는 분지다. 비유하자면, 절구 바닥에 있는 마을이다. 사방 모두 산이다. 거

리를 걷다가, 문득 고개를 들면, 산이다. 긴자도오리 銀座通り 라는 아름다운 번화가가 있

다。 버젓한 백화점도 있다。

道玄坂 도겐자카를 걷는 느낌이다。 하지만、 문득 고개를 들

면、 산이다。 이상하게 슬프다。 오른쪽으로 가도、 왼쪽으로 가도、 동쪽으로 가도、

서쪽으로 가도、 문득 고개를 들면、 기다리고 있었다는 듯 산이다。 절구 바닥에、 작

디작은 깃발을 세우고、 그것을 고후라고 생각하면、 틀림없다。

골목길을 택해 돌아왔다。 고후는、 햇볕이 강한 동네다。 도로에 떨어지는 집집

의 처마 그림자가、 또렷이 검다。 처마는 한결같이 낮아서、 城下町 죠카마치의 차분함이 있

다。 한길이 있는 백화점보다도、 이런 골목길에서、 고후의 문화를 느낀다。 이 차분

함은、 예사로운 것이 아니다。 무르익고、 쇠퇴하고、 그리고 녹슬어 간 끝에、 이런

한적함에 이르렀기에、 나는、 오히려、 이 좁은 뒷골목에서、 도시의 대로를 느끼는

것이다。 문득、 두부 가게 유리창에 비친 내 모습도、 웬걸、 유신지사처럼 보였다。

지사임에는 틀림이、 없다。 막다른 곳에 몰린 지사、 지금은 고후 싸구려 여인숙에

몸을 의지하여、 다시 한 번 은밀히 거사를 꾀하고 있다。

甲州 고슈를、 내가 공부할 곳으로 소개해 준 사람은 井伏鱒二 이부세 마스지 씨다。 이부세 씨는、 일찍부터 고슈를 사랑하여、 고슈를 여행하고、 소개하는 글도 많이 쓴 것 같다。 새삼스레 내 산잡한 글로、 이러쿵저러쿵 쓸 필요가 없다。 그렇게 생각하면、 고슈에 대한 글은、 쓰고 싶지가 않다。 나는 이부세 씨의 글을 존경하기에、 더더욱 쓰기 어렵다。

몰래 숨어서 공부하기에는、 과연 좋은 곳 같다。 즉、 평범한 마을이란 뜻이다。 강렬한 지방색이 없다。 이 지역 말도、 도쿄 말과、 그다지 다르지 않은 것 같다。 묘하게 안심이 되는 동네다。 그렇지만、 하숙집 방에서、 혼자 오도카니 앉아 있어 보니、 역시 도쿄에 있는 것 같은 느낌은 들지 않는다。 햇빛이 강한 탓일까。 기차의 기적이、 가끔 희미하게 들려와서 그런 걸지도 모른다。 아무리 생각해도、 이건 부상당한 유신지사、 요양지 느낌이다。

이부세 씨는、 고후 거리를 거닐며、 무엇을 보았을까? 언젠가、 천천히 물어봐야

겠다. 이부세 씨라면, 분명 나 같은 건 깨닫지 못하는, 작고 세세한 것들을 틀림없

이 찾아냈을 것이다. 내가 발견한 것들은, 부끄러울 만큼 대략적이다. 고후는, 사

방이 산. 그림자가 짙다. 싫은 것은 수정 가게. 나는, 수정 장식품이, 옛날부터 싫

었다.

아이 캔 스피크

괴로움은, 인종(忍從)하는 밤. 단념하는 아침. 세상이란, 단념하는 훈련인가. 쓸쓸함의 인내인가. 젊음, 이렇게, 세월에 벌레 먹히고, 행복도, 거리에서, 찾는다.

나의 노래, 소리를 잃어, 잠시 도쿄에서 무위도식하며, 한동안, 뭔가, 노래가 아니라, 말하자면 「삶에 대한 투덜거림」이라고나 할까, 그런 걸 서걱서걱 쓰기 시작하여, 자신의 문학이 나아가야 할 길을 조금씩, 자기 작품을 통해 알게 된, 뭐, 그런 즈음일까, 하고 다소 자신감 비슷한 것을 얻고, 전부터 구상 중이던 장편소설에 착수했다.

작년, 9월, 고슈 미사카고개 꼭대기에 있는 「천하 찻집」이라는 찻집 2층을 빌려서, 거기서 조금씩, 그 일을 진행했는데, 그럭저럭 백여 장 가까이 되어, 다시 읽어 보니, 썩 나쁘지 않다. 다시 힘을 얻어, 여튼 이걸 완성하기 전에는, 도쿄로 돌아가지 않겠노라, 미사카 초겨울 찬바람 쌩쌩 부는 날, 멋대로 혼자 다짐했다.

되지도 않는 다짐을 한 것이다. 9월 가고, 10월 가고, 11월, 미사카의 한기는 견디기 힘들어졌다. 그 무렵에는, 왠지 불안한 밤이 계속되었다. 어떡하지, 어떡하지, 하고 몹시 방황했다. 내 멋대로, 나에게 다짐하고, 이제 와서, 그걸 어길 수가 없어서, 도쿄로 돌아가고 싶지만, 무슨 그게 파계라도 되는 양, 고개 위에서, 쩔쩔매고 있었다. 甲府 고후로 내려가려고 했다. 고후라면, 도쿄보다 따뜻하니, 올 겨울도 거뜬히 날 수 있으리라 생각했다.

고후로 내려갔다. 겨우 살았다. 수상한 기침이 나오지 않게 되었다. 고후 변두리에 있는 하숙집, 해가 잘 드는 단칸방을 빌려, 책상 앞에 앉고 나서야, 잘했다는 생각이 들었다. 또다시, 조금씩 일을 진행했다.

점심 무렵부터, 혼자 사부작사부작 일을 하고 있으려니, 젊은 여자들의 합창이 들려온다. 나는 펜을 멈추고, 귀를 기울인다. 하숙집과 골목 하나를 사이에 두고 제사 공장이 있다. 그 공장 여공들이, 작업하면서, 부르는 노래다. 그중에 하나, 빼어나게 고운 목소리가 있어, 그이가 리드하여 노래를 부른다. 군계일학, 그런 느낌이다. 목소리가 좋은 것 같다. 고맙다는 인사를 하고 싶은 생각까지 들었다. 공장 담벼락을 기어 올라가, 그 목소리 주인을 한번 보고 싶다는 생각까지 들었다.

여기에 한 명, 쓸쓸한 남자가 있어, 매일매일 당신 노래로, 얼마나 구원을 받는지 모르는, 당신은, 그걸 모르는, 당신은 나를, 내 일을, 얼마나, 든든하게, 격려해 주었는지, 나는, 진심으로 감사의 인사를 전하고 싶습니다. 그런 편지를 갈겨써서, 공장 창문으로, 몰래 집어 던질까도 생각했다.

하지만, 그런 짓을 해서, 그 여공 아가씨, 놀라고, 겁을 먹어, 갑자기 목소리를 잃으면, 그건 곤란하다. 무심코 부르는 노래를 나의 감사가 오히려 탁하게 만드는 일이 생긴다면, 죄악이다. 나는, 혼자 애간장을 졸이고 있었다.

사랑, 일지도 모른다. 2월, 춥고 고요한 밤이다. 공장 골목에서, 술 취한 사람의 거친 말소리가, 갑자기 들려왔다.

─노, 놀리지 마. 뭐가 우스워. 어쩌다 술 한번 마신 걸 가지구, 나 웃긴 짓한 기억은 없다구. I can speak English. 나, 야학에 다니고 있다구. 누나, 알어? 모르겠지. 엄마한테도 비밀로 하고 몰래 야학에 다니고 있다구. 훌륭한 사람이 되어야 하니까. 누나, 뭐가 우스운데. 뭘, 그렇게 웃냐구, 응? 누나. 나 말이야, 이제 곧 군대 가. 그때는 놀라지 말라구. 주정뱅이 동생이지만 남들 하는 건 다 한다구. 거짓말이야, 아직 입대가 결정된 건 아니야. 그치만, I can speak English. Can you speak English? Yes, I can. 좋구만, 영어란 놈은. 누나, 솔직히 말해 줘. 나, 말 잘 듣지, 그치? 착한 동생이지? 엄마는, 아무것도 모른다구……。

나는 미닫이문을 조금 열고 골목을 내려다본다. 처음엔, 흰 매화인가 했다. 아니었다. 동생이 입은 하얀 레인코트였다.

계절에 어울리지 않는 레인코트를 입은, 동생은 추웠는지, 공장 담벼락에 바싹 등을 붙이고 서 있고, 그 담벼락 위, 공장 창문으로, 한 아가씨가, 몸을 내밀고, 취한 동생을, 바라보고 있다.

달이 떠 있었으나, 동생 얼굴도, 아가씨 얼굴도, 또렷하게는 보이지 않았다. 누나 얼굴은 동그랗고 희읍스름하고, 웃고 있는 듯하다. 동생 얼굴은 검고 아직 앳된 느낌이었다. I can speak라고 말하는 취객의 영어가, 고통스러우리만큼 내 가슴을 때렸다. 태초에 말씀이 계시니라. 만물이 그로 말미암아 지은 바 되었느니라. 문득 나는, 잊었던 노래가 떠오른 느낌이었다. 하잘것없는 풍경이었으나, 그러나 나로 서는 좀처럼 잊을 수 없다.

그날 밤 그 여공 아가씨가, 목소리가 고운 그 사람인지, 아닌지, 그건, 모른다. 아닐 거야.

《다자이 오사무 결혼식》 1939년 1월
이부세 부인, 이시하라 미치코, 다자이 오사무, 이부세 마스지

봄, 낮

4월 11일.

고후 변두리에 임시 거처를 마련한 후, 하루 빨리 도쿄로 돌아가 살고 싶어, 애

는 쓰지만, 좀처럼 뜻대로 되지 않고, 벌써, 반년 가까이 지나고 말았다. 오늘 아

침에는 날이 맑은 까닭에, 아내와 처제를 데리고, 다케다(武田神社) 신사로, 벚꽃 구경을 갔

다. 장모한테도 권했지만, 장모는, 몸이 좋지 않아 집을 본단다. 다케다 신사는,

다케다 신겐(武田信玄)을 모시고 있고, 매년, 4월 12일에 큰 제사가 있는데, 그 무렵에, 마

침 경내의 벚꽃이 만개하는 것이다. 4월 12일은 신겐이 태어난 날이라나, 죽은 날

이라나, 아내와 처제가 자세하게 설명해 주기는 하는데, 나는, 그게 영 미심쩍다.

벚꽃이 만개하는 날과, 태어난 날이, 이렇게 딱 들어맞다니, 왠지, 수상하다. 지나치게 그럴싸하다. 신사 주인장이 개수작 부린 게 아닐까, 하는 의심까지 드는 것이다.

벚꽃은, 넘쳐흐를 듯 피어 있었다.

『꽃 피고, 지고.』

『아니, 지고, 지고.』

『아니, 지지고, 볶고.』

모두 웃었다.

축제 전날, 이라는 것은, 청결하고 싱싱하고, 차분하게 긴장되어 좋다. 경내는, 먼지 하나 없이 깨끗하게 비질이 되어 있었다.

『전람회에 온 것 같네. 오늘, 오길 잘했구만.』

『나는, 벚꽃을 보면, 개구리 알, 개구리 알 덩어리가 생각나서요……。』 아내는, 풍류를 모른다.

『에그, 딱해라. 힘들겠구만.』

『네, 엄청, 힘들어요. 되도록 생각 안 하려고 하는데. 한번, 알 덩어리를 봐 버려서, 머릿속에서 떠나질 않네요.』

『나는, 소금 무더기가 생각나.』 이것도, 그리 풍류를 안다고는 할 수 없다.

『개구리 알보다는, 좋네요.』 처제가 의견을 내놓는다. 『저는, 새하얀 종이가 생각나요. 왜냐면, 향기가 하나도 안 나니까요.』

향기가 나는지 안 나는지, 멈춰 서서, 잠시 가만히 있었더니, 향기보다 먼저, 파리 날아다니는 소리가 들려왔다.

꿀벌 날갯소리일지도 모른다.

4월 11일 봄, 낮.

당선된 날

(1) 가난한 작가

이번에, 「국민신문」 단편소설 콩쿠르에 당선되었기에, 그날 일을, 정직하게 써 國民新聞

보고자 한다. 나는, 올해 정월에, 고후 사람과 평범한 중매결혼을 했는데, 그러나 甲府

나는 한 푼의 저금도 없어서, 당장 도쿄에 집을 구할 수가 없었다. 집 보증금으로,

백 엔엔 정도를 마련해야 하고, 그것 말고도 살림살이 일체를 사야 하는데, 그러려

면, 아무래도 백 엔은 더 필요할 것이고, 어쨌든, 결혼 당시 나한테는, 결치고 있

는 옷과 책상, 이불, 그것 말고는 없었으므로 민망한 적이 퍽 많았다. 일단 우리

는, 어딘가 깊은 산속 싼 집을 찾아, 거기에 틀어박혀, 내가 좌우지간 열심히 일을

해서, 집을 얻을 만한 돈을 마련하겠다고, 그런 상의를 하는 와중에, 다행히, 고후 처가 근처에 6엔 50전, 다다미 여덟 장, 석 장, 한 장짜리 방이 있는 작은 집을 발견하여, 한동안 여기라도 괜찮지 않을까, 산속 집보다 싸게 먹힐지 몰라, 하고 화로며 빗자루며 양동이를 사서, 그 집으로 들어갔다. 보증금도 여기는 필요 없다.

고후 변두리라서, 앉아 있어도, 방 창문으로, 후지산이 빤히 보인다. 포도 넝쿨 시렁도 있고, 사립문도 있고, 무엇보다도 값이 싸서, 6엔 50전이니까, 그게 좋았다. 기차 소리가 어렴풋이 들리는 정도라, 밤에는, 여덟 시가 지나면 조용하다.

『알겠지? 쓸쓸함에, 지지 마. 그게, 제일가는 마음가짐이라고, 나는 생각해.』

나는, 꽤나 정색을 하고, 그런 말로 아내에게 설교했다. 나 자신이, 쓸쓸함에 질 것만 같아, 불안했기 때문이기도 하다.

이 집에서, 제일 먼저 쓴 소설은, 「황금풍경(黄金風景)」이라는 열 장이 채 안 되는 단편이

었다. 그 단편이, 이번 콩쿠르에 당선된 것이다. 나는, 당선 같은 건, 정말이지,

그야말로 꿈에도 생각하지 않았다. 아직까지, 내 성격이나 성향에 대해서, 무척과

장된 말들이 돌고 있는데, 사실 나도 부주의했던 점이 있고, 분명 그건 내 미흡한

부분이긴 하지만, 잘못된 소문을 일부 사람들이 철석같이 믿는 바람에, 나는 대단

히 평판이 나빴다. 당선 같은 건, 상상도 못 할 일이라서, 아내에게도, 처가 사람

들에게도, 『이번, 「국민신문」에 단편소설 콩쿠르가 있어서, 저도 쓰기는 하는데,

뭐, 끝에서 두세 번째, 라고 생각해 주세요. 아니, 진짜로, 그래요.』하고 언젠가,

그렇게 말하고, 웃은 적이 있다. 그때, 장모는, 혼자서만 웃지 않고, 솔직하게 섭

섭한 표정을 지었는데, 나는 그것을 눈치채고, 팍, 기가 죽었다.

（2） 네 사람을 존경하다

4월 22일 아침, 나는, 이번에 출판할 예정인 「사랑과_{愛と美について} 아름다움에 대하여」라는

미발표 단편집의 교정쇄를, 잠결에 받아 들었다. 그 교정쇄와 함께, 속달 엽서가

왔는데, 거기에, 上林曉 간바야시 씨와 다자이 씨가, 콩쿠르에 당선되었다, 라고 적혀 있

어서, 처음에, 나는, 멍해 있었다. 아무, 생각도 나지 않았다. 그저, 보고만 있을

뿐. 차차, 무슨 일인지 파악이 되었고, 그러고 나서,

『어이, 여보.』 하고 부엌에 있던 아내를 불러, 그 엽서를 보여 주었다.

『이상하네요.』 아내도, 순간, 이상한 표정을 지었다.

『아무튼, 역에 가서, 신문을 사 올게.』 그 엽서에는, 22일 신문에 상세히 발표

되어 있습니다. 라고 적혀 있었다.

역까지, 걸어서, 15분쯤 걸린다. 아침 여덟 시 조금 전이라, 학교로 서두르는 중

학생들의 행렬이, 시커멓게 이어졌다. 걸으면서, 점점 기분이 좋아졌다. 당선됐다

는 사실이, 확실히 와 닿은 것이다. 문득, 중학교에 합격했을 때 기분이, 떠올랐는

데, 그때의 기쁨도, 이랬다. 순식간에, 주위 풍경이, 쨍하고 맑은 날처럼 변하고,

내 키가 갑자기 한 자나 커져서, 다른 사람이 된 듯한, 그러나 역시, 겸연쩍은 기분이었다. 처가에 있는 장모에게, 제일 먼저, 그 신문을 보여 주고 싶었다. 역에서 신문을 사면, 그걸, 처가 우편함에 슬쩍, 던져 넣을까, 하는 생각까지 했다. 장모는, 나 같이 아무것도 없는 가난한 서생에게 딸을 주고, 분명 속으로, 서운했을 텐데. 분명 큰 결심을 한 것이다. 나는 조금이라도 장모가 기뻐하는 모습을 보고 싶었다. 나에게는, 낳아 준 어머니가 있지만, 여러 가지 사정 때문에, 지금은 소식불통이 되어, 효도하고 싶어도, 좀처럼, 그게 허락되지 않는 처지라, 하다못해, 장모에게만이라도 자식 된 도리를, 아주 조금이라도, 무력한 내가 할 수 있는 작은 범위 내에서라도, 뭐라도 하고 싶다고 항상 빌고 있다.

정차장 매점에는, 「국민신문」이, 한 부 남아 있었다. 나는, 5전을 넣고 그걸 샀다. 정차장 대합실 벤치에 앉아서, 신문을 펼쳐 보았다. 내 사진이, 간바야시 씨 사진과 나란히 실려 있었다. 내 얼굴은, 조금 수정되어, 얼굴이 하얗게 인쇄되어 있었다. 하지만, 역시 울상을 짓고 있는 얼굴이다. 나한테는, 네 표가 들어왔다.

네 사람. 나는 한껏 심각해졌다. 마음이 든든해진 느낌이다. 네 사람. 네 사람이

지금까지 나에 대한 악평을 떨쳐 내고, 용감하게 투표했다. 훌륭하다고 생각했다.

엄숙함을 느꼈다. 옷깃을 여미고 싶은 기분이었다. 네 명. 금세 그중 두 명의 얼굴

이 떠올랐다. 다른 두 명은, 내가 모르는 사람일지도 모른다. 나는 그 네 명을 잊

어서는, 안 된다. 솔직하게 말씀드리겠습니다. 저는 이 네 분을 영원히 존경하겠습

니다.

(3) 무사한 날이 좋은 날

그 신문을 품에 넣고, 집으로 돌아왔다. 그렇지만, 처가 우편함에는 차마 넣지

못했다. 아내에게도, 보여 주고 싶었던 것이다.

아내는, 그 신문을 읽고,

『그래도, 다행이예요. 간바야시 씨하고 함께라, 아주 안심이 되네요. 당신 혼

자라면, 당신도, 난처하겠지요?』

나는, 아내를 칭찬해 주고 싶었다. 나도, 간바야시 씨와 함께여서, 그것이, 특

히 마음 든든하고, 게다가, ――이건 기명투표니까, 밝혀도 괜찮겠지―― 나의 신중

한 한 표를, 간바야시 씨의 작품 「겨울붕어(寒鮒)」에, 던졌기 때문에, 나의 기쁨도 두배

가 되었던 것이다. 나는, 아침식사 전에, 교정을 끝내 버릴 생각으로, 책상 앞에

앉았는데, 불쑥 장모가 찾아왔다. 장모는 고후의 란도라, 인가 뭔가 하는 하이킹 모

임에서, 야마타카(山高)의 진다이사쿠라(神代桜)에 갈 사람을 모집한다더라, 가 보는 게 어떤가,

단체라서 여러 가지 설명도 들을 수 있을 것이고, 거기다 여비도 싸니, 1엔 정도

니까, 이참에 가 보면 어떤가, 만날 그렇게 일만 하지 말고, 조금은 기분전환을 하

는 게 어떤가, 하고 우리에게 하루의 행락을 권하러 온 것이다.

『아, 그리고, 이 책은, 고마웠어.』 하고, 얼마 전에 나한테 빌려간 심농의 탐정

소설을 보자기에서 꺼내며,

『잘 쓰대. 심농이랬나, 이 양반.』 장모는, 올해 예순다섯인데, 뒤마나 코난 도

일 같은 기발한 탐정 소설류를 좋아한다. 영어도, 조금 읽을 줄 안다. 『이 양반

책, 딴 거 또 뭐 없나?』

『저기, 그것보다.』 난, 「국민신문」을 꺼내면서 『여기, 꽤 좋은 게 나왔어요.』

나와 아내가 웃으니까, 장모도, 자연스레 웃기 시작하고,

『뭔데? 안경이 없으면, 잘 안 보여서. 에구머니나, 사진이 나왔네.』

『제가, 언젠가 말씀드렸지요? 「국민신문」에서 콩쿠르를 하는데, 저는 평판이

안 좋아서, 꼴찌에서 두세 번째일 거라고.』

『그랬나?』 장모는 어리둥절. 까맣게 잊은 모양이다.

말없이 신문을 읽었다. 다 읽고 나서,

『「황금풍경」은, 어떤 소설인가? 난, 아직 못 읽어 봤는데.』 작품을 읽기 전

에는, 장도모, 당선 사실을 못 믿겠다는 눈치였다. 뭔가, 마음이 놓이지 않는 것 같았다.

『그게요, 별로 자신이 없어서요. 도저히 못 보여 드리겠어요. 불쌍해서 당선된 거예요.』

그리 말하면서, 하지만, 불쌍해서, 라고 잘라 말해 버리면, 진지하게 투표해 주신네 사람에게, 미안한데, 하고 생각했다. 그 부분은, 말로 표현하기, 힘들다.

진다이사쿠라에는, 힘들게 단체로 가지 말고, 우리끼리만, 천천히 구경 갑시다, 상금 받으면, 그 돈으로 갑시다, 그럽시다, 하고 세 명이서 이야기를 매듭지었다.

장모가 돌아간 후, 나는 교정을 시작했고, 정오 무렵에 끝이 나, 늦은 아침을 먹고, 그리고, 마감이 닥친 소설을 조금씩 이어 쓰던, 와중에, 자꾸만 허전해졌다.

『여보, 대단한 일도, 아니네.』

『아뇨, 저는, 요 정도 기쁜 게, 제일 행복한 거 같아요. 5백 엔, 천 엔, 받는 것보다, 간바야시 씨랑 둘이서, 50엔씩 받아서, 무척 보기 좋은데요.』

나는, 해 질 무렵까지, 계속 일했다. 처제가, 아내에게 겹옷을 한 장, 주면서,

『이거, 엄마가, 언니 주라네.』 상으로 준 건지도 모른다.

밤에는, 또 속달로 교정쇄가 와서, 자정 가까이까지, 거기에 매달렸다.

솔직 노트

솔직하게 말씀드리겠습니다. 저는, 앞으로 쓸 소설, 또는, 과거에 썼던 소설의 의도, 바람, 그 고뇌에 대해, 그다지 말하고 싶지 않습니다. 그게, 저의 헛된 오만함 때문은, 아니라고 생각합니다. 썼지만, 상대방 마음에 들지 않았다면, 그건 이제 어쩔 수 없는 것이고, 앞으로 쓰려고 구상 중인 소설에 대해, 아무리 열정적으로 설명한들, 지금 저는, 아주 우수하고 위대한 걸작, 쓸 수 없다는 사실, 이미 아는 바이며, 현재 저의 작가로서의 역량도, 대충 가늠이 되고, 무엇보다도 저는, 지금, 더욱 솔직해져야만 합니다. 많은 작가들이, 주제넘은 포부를, 순진하게 입에 담는 것을 듣고 있자니, 저는 그 사람들이, 부럽고, 살아있다는 사실이, 너무나, 괴롭게 느껴집니다. 아시겠습니까? 하지만 저는, 그런 작가들을 결코 거부할 수가 없습니다.

저도, 약을 먹을 때는, 먼저, 그 약에 들어 있는 효능서를, 차근차근 읽어 보는데, 영어로 적힌 부분까지 미덥지 않은 어학 실력으로 독파하고 나서야, 회심의 미소를 지으며, 그 우수(하다고 적혀 있는) 한 약을 복용하고, 그 자리에서 효과가 나타나는 듯한 착각에 빠지고, 그래야 만족하는 처지니까요. 효능서 없는 약이란, 현없는 바이올린처럼, 한없이 위화감이 듭니다. 효능서는, 없어서는, 안 될 물건이겠지요.

그러나 예술은, 약인가, 아닌가, 하는 문제를 생각하면, 조금 의문도 생깁니다. 효능서가 첨부된 소다수를 생각해 봅시다. 위에 좋은, 교향악을 생각해 봅시다. 벚꽃 구경 가는 게, 축농증 고치러 가는 건, 아니잖습니까. 저는, 이런 생각도 합니다. 예술에, 의미나 이익이 적힌 효능서를, 원하는 사람은, 오히려, 자기가 살아

있음에 자신을 가질 수 없는 병약자다. 억세게 살아가는 노동자, 군인은, 지금이야

말로 예술을, 아름다움을, 내키는 대로 순수하게, 즐기잖습니까?

『뒤마? 그거 재미있었지요. 보들레르의 시도, 상당히 색다르더군요. 얼마 전에,

뭐라더라, 슈니츨러인가 하는 사람이 쓴 단편, 읽어 봤는데, 그 사람, 잘 쓰대요.』

그렇게, 마음 편하게, 문학을 즐기고 있습니다. 그런 사람들에게는, 효능서는 별

로, 필요 없어 보입니다. 마음이 놓이네요. 효능서가, 필요한 건, 당신네(용서 바

랍니다) 병약자들뿐입니다. 정신 차리세요.

저는, 불친절한 의사일지도 모릅니다. 저는, 제 작품을, 이게 결작이네 뭐네,

말한 적, 없습니다. 졸작이다, 라고 한 적도 없습니다. 그건, 결작은 아니지만, 졸

작도 아니라는 사실을, 알기 때문입니다. 조금, 괜찮은 편일지도 모릅니다. 하지

만, 지금까지는, 저는 한 편도, 결작을 쓰지 못했습니다. 그건, 확실합니다. 일전

에도, 어느 선배님과 이야기를 나눴는데, 정말로, 자기가 자기 가슴으로 확하고

전부, 깨끗이 납득할 수 있는 작품, 하나라도 썼다면、 또、 지금 당장 쓸 자신이 있

다면、 왜、 이런、 시궁쥐처럼、 방황하고 있을까요. 긴자^{銀座}에서도、 의사당^{議事堂} 앞에서도、

제국대학^{帝大} 구내에서도、 멋지게 차려입고、 당당히 걸어 보지만、 도저히、 못 하겠습

니다、 당분간、 저는、 안 되겠지요. 그리 말했더니、 그 선배님도、 그렇지、 다른 사

람이 귀하의 대표작은?、 하고 물었을 때、 글쎄요、 「벚꽃 동산」「세 자매」는、 어

떨까요、 하고 조심스레 대답할 수 있으면、 좋겠군、 하고 차분히 말씀하셨습니다.

즉흥적이 아니다

내 앞날을 생각하고, 소름이 끼쳐, 안절부절못하는 기분의 초저녁, 혼고의 아파本郷

트에서, 지팡이 질질 끌며 우에노공원까지 걸어 본다. 9월도 중순이 지난 무렵의上野公園

일이다. 내 새하얀 유카타도, 이미 철 지난 감이 있어, 땅거미 속에, 내가 생각해

도 무섭도록 하얗게 눈에 띄는 것 같아, 더더욱 슬프고, 살아 있는 게 싫어진다.

시노바즈 연못을 훑고 불어오는 바람은, 미적지근한, 시궁창 냄새가 나고, 연못不忍の池

의 연꽃도, 가지를 뻗은 채로 썩어, 무참하고 추한 뼈대만 남고, 꿈실꿈실 지나가

는 저녁 바람 쐬러 나온 사람들의 얼빠진 얼굴에는, 기진맥진한 기색이 역력하여,

세상의 종말을 떠올리게 했다.

上野駅 우에노역까지 오고야 말았다. 수없이 많은 시커먼 여행객들이, 이 동양 제일이 라는 거대 정차장에, 우글우글, 준동하고 있었다. 모두 패잔병 신세다. 내게는, 그렇게 느껴질 뿐이다. 이곳은 도호쿠東北 농촌의 마의 문이라 불린다. 여기를 지나, 도시로 나가서, 엉망진창으로 깨지고, 다시 한 번 여기를 지나, 겨우 건진 벌레 먹 힌 몸뚱이에, 누더기 하나 걸치고, 고향으로 돌아간다. 틀림없이 그렇게 된다. 나 는 대합실 벤치에 걸터앉아, 히쭉 웃는다. 그러게 내가 말했잖아. 도쿄東京에 와도, 소 용없다고, 그렇게 충고했잖아. 처녀, 총각, 아저씨, 아줌마, 모두 생기를 잃고, 멍하니 벤치에 앉아, 탁한 눈 희미하게 뜨고, 대체 어디를 보고 있나. 허공에 뜬 환상의 꽃을 좇고 있다. 주마등처럼, 수많은 얼굴이, 수없는 실패의 역사가 두루마 리처럼, 허공에 펼쳐지고 있으리라.

나는 일어나, 대합실에서 도망친다. 개찰구 쪽으로 걷는다. 일곱 시 5분 도착 급행열차가 지금 막 플랫폼에 들어온 참이라, 까만색 개미들이, 서로 밀고 밀리고,

혹은 대굴대굴 굴러가듯, 개찰구를 노리고 쇄도한다. 손에 트렁크. 바구니도 드문드문 보인다. 아아, 괴나리봇짐이라는 물건도 이 세상에 아직 있었다. 고향에서 쫓겨나왔다는 건가.

청년들은 상당히 멋쟁이다. 그리고 예외 없이 긴장으로 가슴이 울렁인다. 불쌍하다. 어리석다. 노인네하고 싸우고 뛰쳐나왔겠지. 병신 새끼들.

나는, 한 청년을 눈여겨보았다. 영화에서 배운 건지 담배 피우는 모양새가, 꽤나 건방지다. 외국 배우 흉내가 틀림없다. 작은 트렁크 하나 들고, 개찰구를 나와서, 한쪽 눈썹을 잔뜩 치켜올리고, 주위를 둘러본다. 확실히 배우 흉내다. 겉옷도, 깃이 넓고 엄청나게 화려한 바둑판무늬에다, 바지는, 너무 길어, 목 아래부터, 바로 바지인 것 같다. 하얀 마로 만든 헌팅캡, 붉은 가죽 단화, 입을 꽉 다물고 씩씩하게 걷기 시작했다. 너무도 우아하여, 우스꽝스러웠다. 장난을 쳐 보고 싶어졌다.

나는, 그때 너무너무 따분했다.

『어이, 어이, 다키다니 군.』 트렁크 이름표에 「다키다니」라고 적혀 있어서, 그 (滝谷)

렇게 불러 봤다. 『잠깐. 와봐.』

상대 얼굴도 보지 않고, 나는 저벅저벅 앞서 걸었다. 운명적으로 빨려들듯, 그

청년은, 내 뒤를 따라왔다. 나는, 사람 심리에 대해서는 다소, 자신이 있었다. 사

람이 멍하니 있을 때는, 그저 압도적으로 명령하는 게 제일이다. 상대는, 생각대로

다. 섣부르게, 자연스러운 척, 이유를 대며 상대방을 이해시키려, 안심시키려 애

를 쓰면, 오히려 안 된다.

우에노언덕을 올라갔다. 느럭느럭 돌계단을, 오르면서,

『조금은 아버님 심정도, 헤아려 드리는 게, 좋을 듯하네.』

『예예.』 청년은 바싹 얼어 대답했다.

사이고 다카모리 동상 밑에는, 아무도 없었다. 나는 멈춰 서서, 소맷자락에서 담 (西郷隆盛)

배를 꺼냈다. 성냥불 빛으로, 흘끗 청년의 얼굴을 엿보니, 청년은, 마치 어린아이

같은, 천진난만한 표정으로, 못마땅하다는 듯 뿌루퉁해서 서 있는 것이다. 측은한 마음이 들었다. 장난치는 것도, 이쯤에서 그만두자고 생각했다.

『자네, 몇 살이지?』

『스물 셋입니다.』 고향 억양이 있다.

『젊구만.』 엉겁결에 탄식을 뱉었다. 『이제 됐어. 돌아가도 돼.』 그냥, 자네를 놀고 싶은데, 하는 바람기 비슷한 두근거림이 일어,

겁줘 본 거야, 하고 말하려 했으나, 걷잡을 수 없이 조금 더, 조금만 더, 데리고

『돈 있나?』

우물쭈물하다가, 『있습니다.』

『20엔, 놓고 꺼져.』 나는, 우스워 죽을 것 같았다.

내놓은 것이다.

『가도, 되겠습니까?』

병신, 농담이야, 장난쳐 본 거라구, 도쿄는, 이렇게 무서운 데니까, 얼른 고향으로 돌아가서 아버님 안심시켜 드리게나, 하고 나는 크게 웃으며 말해야 했을지도 모르지만, 처음부터 즉흥적으로 벌인 일이 아니다. 난, 아파트 월세를 내야 한다.

『고마워. 자넬 잊지 않을 거야』

내 자살은, 한 달 미루어졌다.

《쓰시마 가문 자제 슈지 씨, 가마쿠라에서 동반자살 기도》
여자는 끝내 절명, 슈지 씨는 현재 중태

≪동반자살 사건보다 예뻐서 화제가 되었던 故 다나베 시메코≫

미소녀

올해 정월부터 야마나시현(山梨県), 고후시(甲府市) 변두리에 작은 집을 빌려, 조금씩 변변찮은 일을 진행하고 어느새, 벌써 반년이 지났다. 6월에 들어서니, 분지 특유의 맹렬한 여름 더위가, 서서히 몰려왔고, 북쪽 지방에서 자란 나는, 그 가차 없이, 땅바닥에서 끓어오르는 듯한 열기에, 기겁을 하고 말았다. 책상 앞에 말없이 앉아 있노라니, 갑자기, 괴괴히 세상이 어두워지는데, 분명 현기증 증상이다. 더위 때문에 정신이 아뜩해지는 건, 나로서는 태어나서 처음 겪는 일이었다. 아내는, 온몸에 난 땀띠로 고생하고 있었다. 고후시 바로 근처에, 「유무라(湯村)」라는 온천 마을이 있는데, 거기 물이 피부병에 특효가 있다는 말을 들었으므로, 아내를 시켜 매일, 유무

라에 다니도록 했다. 우리가 빌린 집세 6엔 50전짜리 초가집은, 고후시 서북쪽 끄

트머리, 뽕밭 가운데 있었고, 거기서 유무라까지는 걸어서 약 25분. (49연대 연병

장을 가로질러서, 곧장 가면, 더 빠르다. 15분 정도 거리일지도 모른다.) 아내 말에는,

아침식사 뒷정리가 끝나면, 목욕용품을 챙겨, 매일 온천에 다녔다. 아내 말에 따르

면, 유무라에 있는 대중온천탕은, 아주 한산하고, 목욕 손님도 농촌 할아버지 할머

니들이고, 피부병에 특효가 있다고는 하지만, 피부병 걸린 사람은, 한 사람도 없어

서, 아내 몸이 제일 지저분할 정도고, 욕탕도 타일을 붙여 청결하기도 하고, 온천

물이 미지근한 게 흠이긴 하지만, 모두 30분에서 한 시간씩이나, 웅크리고 물에 들

어가, 이런저런 세상 이야기를 나눈다나, 하여간 별천지니까, 당신도, 한번 와 보

라는 것이다. 이른 아침, 연병장 풀밭을 헤치고 걸어가면, 풀냄새도 싱그럽거니

와, 아침이슬이 발을 적셔 시원한 게, 마음이 탁 트이고, 웃음이 절로 날 정도다,

라는 아내의 말이었다. 나는 덥다는 핑계로, 일도 하는 둥 마는 둥, 무료하던 때였

으므로, 당장 가 보기로 했다. 아침 여덟 시쯤, 아내를 앞장세워, 길을 나섰다. 대단할 것도 없었다. 연병장 풀밭을 헤치고 걸어 봤는데, 웃음이 절로 나지는 않았다. 유무라 대중온천탕 앞뜰에는, 제법 커다란 석류나무가 있고, 타는 듯 빨간 꽃이, 만개했다. 고후에는 석류나무가 아주 많다.

온천탕은, 바로 최근에 신축된 듯, 때타지 않은, 순백의 타일을 붙여 화사했고, 햇빛이 가득 들어와, 청초한 느낌이다. 탕은 생각보다 작아, 세 평 정도. 손님이, 다섯 명 있었다. 나는 미끄러지듯 탕으로 들어가며, 그 미지근함에 놀랐다. 물도 그렇게 다르지 않은 느낌이 들었다. 웅크린 채, 턱까지 몸을 담그니, 옴짝달싹할 수 없다. 춥다. 살짝 어깨를 내밀면, 쌩하니 춥다. 잠자코, 죽은 듯이, 웅크리고 있어야 한다. 황당하구만, 나는 어쩐지 마음이 불안했다. 아내는, 미동도 없이 진득하게 쪼그려 앉아, 득도한 사람처럼 눈을 감고 있다.

『힘드네. 꼼짝도 못 하겠어.』 나는 작은 목소리로 투덜댔다.

『그래두』 아내는 태평하게, 『이러고 삼십 분 정도 있으면, 땀이 뚝뚝 떨어져

요. 천천히 효과가 나타나는 거지요.』

『그런가?』 나는, 단념했다.

그렇지만, 도저히 아내처럼 득도하여 눈을 감고 있지는 못하고, 무릎을 안고 웅

크린 채, 도리반도리반 주위를 둘러보았다. 두 가족이 있다. 한 가족은, 예순 줄

백발 할아버지와, 어딘가 세련된 쉰 줄 할머니다. 품위 있는 노부부다. 여기 촌구

석 동네 부자겠지. 백발 할아버지는 코가 높고, 오른손에 금반지, 옛날에 좀 놀던

남자일까. 몸도 발그스름하고, 포동포동하다. 할머니도, 어쩌면, 담배쯤은 당당히

피우는 여자일지 모른다고 짐작케 하는 데가 없지 않았지만, 문제는, 이 노부부가

아니다. 문제는, 따로 있었다. 나와 대각선을 이루는 욕탕 모퉁이에, 세 명이 꼭

붙어 웅크리고 앉아 있다. 일흔 정도 된 할아버지, 몸이 검게 굳어 있고, 얼굴도

쭈글쭈글 쭈그러들어 기괴하다. 비슷한 연배의 할머니, 몸집이 작고 야위었으며

가슴은 셔터문처럼 울퉁불퉁하다. 누런 피부에, 가슴은 쪼그라든 찻주머니가 떠올

라, 처량하다. 노부부 둘 다, 사람 느낌이 안 난다. 주위를 두리번거리며, 굴에 틀

어박힌 너구리같다. 그 둘 사이에, 손녀라도 되는지, 할아버지 할머니에게 보호받

고 있는 것처럼, 가만히 웅크리고 있다. 고 녀석이, 근사하다. 지저분한 조개껍데

기에 붙어서, 그 거무죽죽한 조개껍데기에게 보호받는 한 알의 진주. 나는, 곁눈

질하는 게 안 되는 체질이라, 똑바로 쳐다봤다. 열예닐곱일까. 열여덟, 일지도 모

르겠다. 온몸이 조금 창백하고, 하지만 결코 허약하지는 않다. 몸집이 크고, 쪽 뻗

은 몸은, 덜 익은 복숭아를 연상케 했다. 시집갈 만한, 제구실을 할 만한 몸이 되

면, 여자는 가장 아름답다, 는 구절이 시가나오야 씨의 수필에 있지만, 그걸 읽으 志賀直哉

며, 이 양반도 꽤나 간 큰 말을 하는구나 하고 가슴이 철렁했었다. 그렇지만, 지금

눈앞에 있는 소녀의 아름다운 알몸을, 뚫어지게 바라보면서, 시가 씨가 했던 그 말

은, 조금도 추잡하지 아니하며, 순수한 관상의 대상으로도, 숭고하리만치 훌륭한

것이로구나 하고 생각했다. 소녀는, 다부진 표정을 짓고 있었다. 흩눈꺼풀의 삼백

안, 눈꼬리는 한껏 치켜 올라갔다. 코는 평범하고, 입술은 조금 두꺼운데, 웃으면

윗입술이 확 말려 올라간다. 야성의 어떤 것이 느껴진다. 머리는, 뒤로 묶었고, 숱

은 적은 편인 듯하다. 두 노인 사이에 끼어, 무심한 듯, 웅크리고 있다. 내가 오래

도록 자기 몸을 똑바로 쳐다보고 있는데도, 태연하다. 노부부가, 보물이라도 만지

듯 하며, 등을 쓰다듬기도 하고, 어깨를 톡톡 두드려 주기도 한다. 이 소녀는, 아

무래도 병을 앓았던 것 같다. 하지만, 결코 야위지는 않았다. 청결한 피부는 팽팽

하고, 마치 여왕 같다. 노부부에게 몸을 맡기고, 가끔 혼자서 엷게 웃는다. 백치의

분위기마저 나는 느꼈다. 스르르 일어났을 때, 나는 엉겁결에 눈이 휘둥그레졌다.

숨이, 멎는 기분이었다. 굉장히 큰 소녀다. 다섯 자 두 치는 되겠는데 하는 생각이

들었다. 훌륭하다. 커피 잔을 가득 채울 만큼 풍만한 젖가슴, 매끈한 배, 빈틈없

이 야무진 팔다리, 조금도 부끄러워하지 않고 양팔을 흔들며 내 눈앞을 지나간다.

사랑스럽고 속이 비쳐 보일 만큼 하얗고 작은 손이었다. 욕탕에 안에 선 채로 팔을 뻗어, 수도꼭지를 비틀고는, 비치된 알루미늄 컵으로 물을 몇 잔이나 몇 잔이나 마셨다.

『옳지, 많이 마셔야제.』 할머니는, 주름진 입을 벌려 웃으며, 뒤에서 소녀를 응원하듯 말하는 것이다. 『부지런히 마셔야, 건강해지제.』 그러자, 다른 노부부도, 그렇지, 그렇지, 하는 의미로 맞장구를 쳤고, 모두들 웃음이 터졌는데, 난데없이 반지 할아버지가 획 하고 내 쪽을 보더니, 『자네도, 마셔야 되겠구만. 허약한 데는, 최고여.』 하고 명령조로 말하는 바람에, 나는 순간 갈팡질팡했다. 내가 슴은 빈약하고, 갈비뼈가 흉하게 도드라져 보여서, 역시 병 앓은 사람이라고 생각한 것이 틀림없다. 할아버지의 그 명령에는, 대단히 당황했지만, 그래도, 모르는 척하고 있는 것도 실례인 듯싶어, 나는, 일단 어정쩡한 웃음을 짓고, 그리고 일어났다. 오싹 춥고, 벌벌 떨렸다. 소녀는, 나에게 알루미늄 컵을, 말없이 건넸다.

『어, 고마워.』 작은 소리로 인사하고, 컵을 받아 들어, 소녀가 했던 것처럼 욕탕에 선 채로 팔을 뻗어 수도꼭지를 비틀고는, 영문도 모른 채 벌컥벌컥 마셨다. 광천수겠지. 그렇게, 많이 마시지도 못해서, 석 잔 겨우겨우 마시고, 그리고 울상이 되어 컵을 원래 있던 자리에 돌려놓곤, 곧바로 쭈그려 앉아 어깨까지 물에 담갔다.

『약발 좋지?』 반지 노인은, 뿌듯한 듯 말하는 것이다. 나는 말문이 막혔다. 역시 울상을 하고,

『예.』 하고 대답하며, 약간 고개를 끄덕여 인사했다. 나는, 그럴 상황이 아니다. 속으로, 아내는, 얼굴을 내리깔고 키득거리고 있다. 나는, 불행하게도, 마음 터놓고 다른 사람들과 세상이야기 따위, 도저히 못 하는 성격이라, 만약 지금부터, 이 할아버지가 뭐라고 말을 걸면, 어쩌나 겁이 나고, 급기야 이거, 일이 엉뚱하게 흘러간다고, 조금이라도 빨리 여기

서 도망쳐야겠다고 생각했다. 흘긋 소녀 쪽을 보니, 소녀는 차분하게, 아까하고 똑

같이, 노부부 사이에 바싹 붙어 가만히 웅크린 채, 보호받으며, 고개를 들고 전혀

무표정이다. 조금도 나를 문제 삼지 않는다. 나는 포기했다. 다시 반지 노인이 말

을 걸기 전에, 나는 일어나며,

『나가자. 하나도 안 따뜻하잖아.』 하고 아내에게 속삭이고는, 후다닥 욕탕에서

나와, 몸을 닦았다.

『저는, 좀 더 있을래요.』 아내는, 버틸 작정이다.

『그래? 난 먼저 갈 테니까.』 탈의실에서, 허둥지둥 옷을 입고 있는데, 욕탕 쪽

에서는, 화기애애한 세상살이 이야기가 시작됐다. 역시 내가, 점잔 빼면서 입단

고, 두리번거리고만 있으니까 이상한 놈이라고, 노인네들도, 조금 거북해했던 것

같다. 내가 없어지자, 모두 그 갑갑함에서 해방되어, 한숨 돌린 것처럼, 이야기꽃

이 피었다. 아내까지, 그 무리에 끼어 땀띠 강의를 시작했다. 나는, 절대 못 한다.

139

끼지 못한다. 어차피 나는 이상한 놈이니까, 하며 혼자 삐져서는, 가는 길에 다시 흘끗 소녀를 봤다. 역시, 거무죽죽한 두 노인의 몸뚱이로, 보호를 받으며, 보물처럼 아름답게 빛을 내며, 가만히 앉아 있다.

그 소녀는, 참 고 왔다. 좋은 걸 봤군, 하면서 아무도 모르게 가슴속 비밀 상자 속에 감추어 두었다.

7월, 여름 더위는 극점에 달했다. 다다미가, 뜨끈뜨끈 뜨거워서, 누울 수도 앉을 수도 없다. 참다못해, 산에 있는 온천에 피난이라도 갈까 했지만, 8월에 우리는 도쿄 근교로 이사하기로 되어 있고, 그래서 조금 돈을 남겨 두어야만 하기 때문에, 온천 같은 데 갈 여윳돈을, 아무리 해도 변통할 수가 없다. 나는 환장할 것만 같았다. 머리를 과감히 짧게 자르면, 조금은 머리도 시원해지고, 개운해질지도 모른다 생각하고, 이발소로 달려갔다. 닥치는 대로, 어디 이발소든, 자리만 있는 것 같으면 약간 지저분한 가게라 해도 상관없다며, 두세 집 들여다보고 다녔는데, 전부 사람이 꽉 찬 모양이다. 골목길 목욕탕 맞은편에, 작은 가게가 하나 있어, 거기를 들여다보았더니, 역시나 손님이 있는 것 같아, 발길을 돌리려던 찰나, 주인이 창문으로 머리를 내밀고,

『바로 됩니다. 이발하실 거죠?』하고 내 의향을, 보기 좋게 알아맞혔다.

나는 마지못해 웃으며, 그 이발소 문을 밀고 안으로 들어갔다. 나 자신은 알아채지 못했지만, 남들 눈에는, 꽤나 텁수룩이 머리가 길어, 보기 흉해서, 그래서 이발소 주인도, 내 의향을 정확히 꿰뚫어 본 것이다, 틀림없다, 하고 나는 정말이지 부끄러운 생각이 들었다.

주인은, 마흔 언저리에 대머리다. 굵은 로이드안경을 쓰고, 입술이 튀어나와, 익살스러운 얼굴을 하고 있었다. 열일고여덟 살짜리 조수가 하나 있는데, 새카맣고 말라빠졌다. 이발소와, 얇은 커튼을 사이에 두고 있는, 서양식 응접실에서, 두 세 사람이 이야기하는 소리가 들려서, 나는 그 사람들을 손님으로 착각한 것이다.

의자에 걸터앉으니, 옷자락 사이로 선풍기가 시원한 바람을 불어넣어, 나는 휴,

겨우 살았다. 화분이며, 어항이, 여기저기 놓여진, 깔밋한 이발소다. 더울 때는,

이발이 제일이다, 나는 생각했다.

『확, 뒤쪽을 짧게 치켜 깎아 주세요.』 입이 무거운 나는, 그 정도 말하는 것이

고작이었다. 그리 말하고 거울을 보니, 내 얼굴은 엄숙하고, 이상하게 긴장하여 꾹

입을 다문 채 점잔을 빼고 있었다. 불행한 숙명이 틀림없다. 이발소에 와서까지,

이렇게 점잖은 체해야만 하는가, 하고 나 스스로도 한심하게 생각했다. 계속 거울

을 노려보고 있는데, 언뜻 거울 속에 꽃이 비쳤다. 파란 원피스를 입고, 창문 바로

옆 의자에 앉아 있는 소녀의 모습이다. 거기에 소녀가 앉아 있는 걸, 그때 처음 알

았던 것이다. 나는, 하지만 그다지 심각하게 생각하지 않았다. 여조수인가? 딸인

가? 언뜻 그렇게 생각했을 뿐, 더이상, 신경 써서 보지 않았다. 잠시 후, 소녀가,

내 등 뒤에서 목을 빼고, 거울에 비춘 내 얼굴을 흘끔흘끔 보고 있다는 걸 알아챘

다. 두 번이나, 세 번이나, 거울 속에서 시선이 마주쳤다. 나는 뒤돌아보고 싶은 것을 참으면서, 어디서 본 듯한 얼굴이라고 생각했다. 내가, 등 뒤에 있는 그 소녀의 얼굴에 신경을 쓰기 시작했더니, 소녀는, 그걸로 만족했다는 듯, 이번에는, 전연 내 쪽을 보지 않았다. 자신만만해서, 창틀에 턱을 괴고, 길거리를 보고 있었다. 고양이와 여자는, 가만히 있으면 아는 체하지만, 다가가면 멀리 도망친다, 고 했던가? 이 소녀도, 어느새 무의식적으로 그 습성을 몸에 익힌 게로군, 하고 분하게 생각하던 중에, 소녀가 옆에 있는 테이블에서, 께느른하게 우유병을 집어 들더니, 병째로 조용히 마셔 버렸다. 퍼뜩 생각이 났다. 병든 몸. 그거다, 병을 앓았던 근사한 몸의 소녀. 아아, 알겠어요. 그 우유 덕분에, 겨우 알아봤네요. 얼굴보다 가슴을 기억하고 있는 터라, 실례했어요, 하고 나는 소녀에게 인사를 하고 싶어졌다. 지금은 파란 원피스로 감추고 있지만, 나는 이 소녀의 훌륭한 육체, 구석구석까지 알고 있다. 그렇게 생각하니, 기뻤다. 소녀가, 피붙이 같다는 생각마저 들었다.

나도 모르게, 거울 속에서 소녀를 보며 웃고 말았다. 소녀는, 전혀 웃지 않았고, 그걸 보더니, 스르르 일어나, 커튼 뒤 응접실 쪽으로 나긋나긋 걸어갔다. 어떤 표정도 없었다. 나는 다시금 백치를 느꼈다. 하지만 나는 만족했다. 귀여운 친구가 하나, 생겼다고 생각했다. 아마도, 소녀의 아버지일 주인에게, 싹둑싹둑 머리를 잘려서, 나는 시원하고, 매우 기분이 좋았다는, 그게 전부인 음흉한 이야기.

≪도쿄 미타카 자택 앞마당에서 본 거실≫ 1941년 7월

시정언쟁

9월 초, 고후^{甲府}에서 여기 미타카로^{三鷹} 이사하고, 나흘째 되던 날 정오 무렵, 농사꾼 차림새를 한 이상한 여자가 와서는, 이 근처에서 농사짓는 사람입니다 하고 거짓말을 하며, 권하기에 장미나무를 일곱 그루, 억지로 사게 되었는 바, 나는, 그 말이 거짓말이라는 건, 알고 있었지만, 내가 가진 비굴한 나약함 때문에, 거절하지 못한 채, 4엔을 빼앗겨, 나중에 매우 불쾌한 기분이 들었는데, 그 후로, 한 달 지나 10월 초, 내가 그때 왔던 가짜 농사꾼 사건을 소설로 쓰면서, 문장을 손보고 있던 중, 느닷없이 마당에, 실례 좀 하겠습니다, 저는, 요 앞 온실에서 왔습니다만, 뭔가 화초 알뿌리라도, 하고 말하며, 마흔 정도의 남자가, 주뼛주뼛 툇마루 끝에서

웃고 있다. 얼마 전 가짜 농사꾼하고는, 다른 사람이지만 부류는 같겠지 생각하고,

안 됩니다. 얼마 전에도 장미를 여덟 그루 억지로 심었습니다, 하고 내가 여유롭게

웃는 얼굴로 말했더니, 그 남자는, 약간 정색을 하며,

『뭡니까, 억지로 심었다니, 무슨 말입니까?』 하고 갑자기 협박조로 나오며,

나에게 시비를 걸어 온 것이다.

나는 겁이 나서, 몸이, 덜덜 떨렸다. 침착한 척하려고, 책상에 턱을 괴고, 웃음

을 억지로 지으며,

『아뇨, 그게, 저기 마당 구석에, 장미가 심어져 있잖아요! 그게, 억지로 산 거

라구요.』

『저랑, 그게 무슨 관계가 있다는 겁니까? 말씀 이상하게 하시는 거 아닙니까?

내 얼굴을 보면서, 억지로 심었다니, 말씀이 이상한 거 아니냐구요.』

나도, 이젠 웃지 않고,

『아저씨 이야기를 하는 게 아녜요. 얼마 전에 내가, 속아서 기분이 나빴다, 그 이야기를 하는 겁니다. 아저씨도, 말씀, 그렇게 하시는 건, 아니지요.』

『헹. 잔소리 들으러 온 줄 아나. 서로, 일대일이잖아. 한 푼이라도, 반 푼이라도, 벌게 해 준다면야, 나도 장사꾼인데. 얼마든지, 헤헤거려 주겠지만, 그게 아니라면, 한마디라도 댁한테, 잔소리를 들을 일, 없다 이거야』

『이런 억지가 있나. 그럼, 나도 억지 부려 봐? 댁이, 나를 찾아온 거 아니야?』 누구 허락을 받고, 어슬렁어슬렁, 남의 집 앞마당에, 들어온 거야, 까지 말하려 했지만, 너무 그건, 비열한 억지라, 그만뒀다.

『찾아왔는데, 그게 어쨌다구.』 장사꾼은, 내가 말을 더듬고 있으니까, 그 틈을 파고들었다.

『나도, 한 집안의 가장이야. 잔소리 같은 거, 듣기 싫다구. 속았네 어쨌네 해도, 이렇게 심어 놓고, 즐기고 있잖아.』 핵심을 찔렀다. 패색이 짙다.

『그야, 즐기고는 있지요. 난, 4엔이나 뺏겼다구요.』

『싼 거 아닙니까.』말이 떨어지자마자 되받아친다. 투지만만이다. 『술집에 가

서 술을 마신다고 생각해 봐요.』무례한 말까지 지껄인다.

『술집 같은 데는 안 가요. 가고 싶어도, 못 가요. 4엔이, 나한테는, 미치도록

쓰라렸다구요.』실상을 털어놓는 수밖에 없다.

『쓰라렸는지 어땠는지, 내 알 바 아닙니다.』장사꾼은, 점점 기세가 올라, 코

웃음 치며 나를 비웃었다. 『그렇게 쓰라렸으면, 시원하게 자백하고 거절하면, 됐

잖아.』

『그게 내 약점이라구요. 거절할 수가 없다구요.』

『그렇게 약해서, 어떡합니까.』급기야 나를 경멸한다. 『사내대장부, 그렇게 약

해서 잘도 이 세상을 살아갈 수 있겠네요.』건방진 새끼 같으니라구!

『나도, 그렇게 생각해요. 그래서, 이제부터는, 필요 없으면, 분명히 필요 없다

고 거절하자고 각오하고 있었는데. 그러던 차에, 댁이 온 거라구요.』

『하하하하.』 장사꾼은, 그 말을 듣고 몹시 웃었다. 『아 그렇습니까? 정말 그렇군요.』 하고 역시, 이죽거린다. 『알겠습니다. 이만 물러갑지요. 잔소리 들으러 온 건 아니니까. 일대일이야. 폼 잡을 거 없다구.』 막돼먹은 말을 남기고 사라졌다. 나는 마음속으로 안도의 한숨을 쉬었다.

다시 한 번, 저번 가짜 농사꾼 묘사에, 이것저것 덧붙여 써 가면서, 나는, 시정에 산다는 것의, 어려움에 대해 생각했다.

옆방에서 바느질하던 아내가, 나중에 나와서, 내 대응 방법의 졸렬함을 비웃으며, 장사꾼한테는, 엄청 돈 많은 행세를 하지 않으면, 저렇게 무시하는 법이다, 4엔이 쓰라렸다는 둥, 없어 보이는 말은, 앞으로, 하지 마세요, 하고 말했다.

술이 싫다

이틀 연거푸 술을 마셨다. 그저께 밤과, 어저께, 이틀 연거푸 술을 마시고, 오늘 아침은 일을 해야 해서 일찍 일어나, 부엌에 세수를 하러 갔다가, 문득 보니, 됫병 네 개가 비어 있다. 이틀 만에 넉 되를 마신 것이다. 물론, 나 혼자서 넉 되를 전부 마신 건 아니다. 그저께 밤에는 귀한 손님이 셋, 이 미타카(三鷹) 누추한 집까지 찾아 오기로 되어 있어, 나는, 그 이삼 일 전부터 안절부절못하고 어쩔 줄을 몰랐다. 하나는, W군이라고, 첫 대면하는 사람이다. 아니지 아니지, 첫 대면은 아니다. 서로, 열 살 즈음에 한 번, 얼굴을 보고, 말은 하지 않은 채, 그대로 20년간, 떨어져 있었다. 한 달쯤 전부터, 우리 집으로, 이따금 「일간공업신문(日刊工業新聞)」이라는, 나 같은 사람하고는, 조금도 인연이 없는 신문이 와서, 나는, 잠깐 펼쳐보기는 하는데, 전혀 읽을 만한 게 없다. 어째서 나한테 보내주는 건지, 그 진의를 알기가 어려웠다. 천박한 나는, 이것을 강매가 아닌가 하는 의심까지 했다. 아내에게도 타일러, 아무튼 이건 수상하니까, 전부 봉투도 뜯지 말고 그대로 보관해 두게끔, 나중에 대금을 청구하면, 한 덩어리로 묶어 반납하게끔, 계획을 짜둔 것이다. 그러던 중에, 신문 봉투에 발신인 이름이 적혀서 오기 시작했다. W다. 내가 모르는 이름이었다.

나는, 몇 번이고 고개를 갸웃거리며 생각했지만, 모르겠다. 그러던 중에, 「가나기마을 W」라고 봉투에 적혀서 왔다. 가나기 마을이라면, 내가 태어난 마을인데. 쓰가루 평야 한가운데 있는, 작은 마을이다. 같은 마을 태생이라, 그래서 자기 회사 신문을 보내 주었다, 는 것까지는, 판명이 되었으나, 역시나, 어떤 사람인지, 그게 생각나지가 않는 것이다. 어쨌든 호의라는 건, 알았으니, 나는, 곧바로 인사말을 엽서에 써서 보냈다. 『저는, 10년이나 고향에 가지 않았고, 또한, 지금은 육

친들과도 소식조차 불통한 형편이라, 가나기 마을의 W님을, 기억할 수가, 없어,

유감으로 생각합니다. 어떤, 분이신지요. 기회 되시는 때, 누추한 집입니다만, 들

러 주십시오.」 이런 식으로 비슷하게 적어 보낸 것 같다. 상대방의, 나이도 모르

고, 혹시 고향의 대선배일 수도 있기 때문에, 실례가 되지 않도록, 말투에도 충분

히 주의를 기울였을 게다. 곧바로 긴 답장이, 왔다. 비로소, 알게 되었다. 뒷집 등

기소 도련님이다. 딱딱하게 말하면, 아오모리현 青森県 구재판소 区裁判所 가나기마치 金木町 등기소 소장

님의 장남이다. 어릴 적에는, 뭐 하는 곳인지도 모르고, 그저 「등끼소 등끼소」 하

고 다녔다. 우리 집 바로 뒤였고, W군은, 나보다 한 학년, 상급생이었기에, 직접,

말을 한 적은 없지만, 딱 한 번, 등기소 창문으로, 우연히 고개를 내민, 그 얼굴을

얼핏 봤는데, 그 얼굴만은, 20년 후인 지금에 와서도, 퇴색되지 않고, 선명하게 남

아 있어서, 참으로 이상한 기분이 들었다. W라는 이름을 기억하지도 못하고, 그야

말로 신세진 일도 원한 산 일도 없을 뿐더러, 난 고등학교 시절 친구 얼굴조차 까

먹는 일이, 종종 있을 정도로 건망증이 있는데도, W군의, 창문으로 우연히 내민

동그란 얼굴만은, 깜깜한 무대 한 곳에 스포트라이트를 비춘 것처럼 또렷이 눈앞

에 보인다. W군도, 내성적인 사람 같은데, 나만큼이나, 밖에 나가 노는 일이, 그

다지 없는 게 아닐까. 그때, 딱 한 번, 나는 W군을 보고, 그 모습이 20년이 지난

지금에 와서도, 마치, 천연색 사진으로 잘 찍어 둔 것처럼, 영상이 흐려지지 않고

가슴에 남아 있는 것이다. 나는, 그 얼굴을 엽서에 그려 보았다. 가슴속 영상 그대

로 그릴 수 있어서, 기뻤다. 분명히, 주근깨가 있었다. 그 주근깨도, 점점이 흩뿌

려 그렸다. 귀여운 얼굴이다. 나는, 그 엽서를 W군에게 보냈다. 만약, 착각한 거

라면, 죄송합니다, 하고 정중히 무례를 사죄하고, 그렇지만, 역시 그 그림을, 보

여주지 않고서는, 견딜 수 없었다. 그리고, 『11월 2일 저녁, 여섯 시경, 같은 아

오모리현 출신 옛 친구 둘이, 저희 집에, 오기로 되어 있으니, 아무쪼록, 그날 저

녁에, 들러 주세요. 부탁드립니다.』하고 덧붙여 써넣었다. Y군과, A군을 함께

불러, 그날 밤, 누추한 우리 집에서 놀기로 되어 있었던 것이다. Y군하고도, 10년 만에 만나는 셈이다. Y군은, 훌륭한 사람이다. 내 중학교 선배인데. 원체, 정이 깊은 사람이었다. 대여섯 해 동안, 사라졌었다. 큰 시련이었다. 그 사이, 독방에 서, 아주 당당하게 수행을 하신 것이리라. 지금은 어느 출판사 편집부에서 일하고 계신다. A군은, 나와 중학교 동창이었다. 화가이다. 어느 술자리에서, 그것도 거의 10년 만인데, 우연히 얼굴을 마주쳐서, 크게 나는 흥분했다. 내가 중학교 3학년 때, 한 악질 교사가, 학생에게 벌을 주며 의기양양한 표정을 짓는 순간, 나는, 그 교사에게 경멸에 찬 큰 박수를 보냈다. 참을 수가 없었다. 이번엔 내가, 호되게 얻어터졌다. 이때, 나를 위해 나서준 것이, 바로 A군이다. A군은, 즉시 동지를 규합하여, 스트라이크를 계획했다. 모든 학급에 큰 난리가 났다. 나는, 공포에 질려, 와들와들 떨고 있었다. 스트라이크가 막 일어나려던 참에, 그 교사가, 우리 교실로 몰래 찾아와서, 더듬거리며 사과했다. 스트라이크는, 취소되었다. A군과는,

그러한 공유할 수 있는 그리운 추억이 있다.

Y군에, A군까지 둘이 함께 우리 집에 놀러 와주는 것만으로도, 나로서는, 커다란 감격인데, 거기에다 이제 또, W군과도 20년 만에 상봉할 수 있다니, 나는, 무려 사흘 전부터, 안절부절못하고, 「기다린다」는 게, 얼마나, 괴로운 심리인지, 이제와 새삼스럽지만, 통감한 것이다.

딴 데서, 받은 술이 두 되 있었다. 나는, 평소, 집에 술을 사두는 건, 싫다. 누리끼리 멀건 액체가 가득 담긴 됫병은, 도저히 불결해서, 천박해서, 부끄러워서, 눈에 거슬려서 안 되겠는 것이다. 부엌 구석에, 그 됫병이 있다는 것만으로도, 이 좁은 집 전체가, 꿀렁꿀렁 탁해지고, 시큼시큼한, 이상한 냄새까지 나는 것 같아, 왠지 뭔가, 떳떳하지 못한 느낌이다. 집의 북서쪽 한구석에, 변스럽게 흉측하고 고이한, 부정한 것이, 따리를 틀고 숨어 있는 것 같아, 책상을 마주한 채 일을 하고 있어도, 도대체, 결백한 정진을, 할 수 없을 것 같은 불안한, 찝찝한 기분이 들어,

견딜 수가 없는 것이다. 도대체가, 안정이 되지를 않는다.

밤, 홀로 책상에 턱을 괴고, 이런저런 일을 생각하노라면, 답답하고, 불안해져

서, 술이라도 마시고 그 기분을, 털어 버리고 싶어질 때가, 가끔 있는데, 그때는,

외출하여, 미타카역三鷹駅 근처, 초밥집에 가, 몹시 급하게 술을 마시곤 하는데, 그럴

땐, 집에 술이 있으면 편리하겠구나 하는 생각이 들지 않는 것도 아니지만, 아무래

도, 집에 술을 두면 신경이 쓰여서, 별로 마시고 싶지 않은데도, 그저, 부엌에서

술을 추방하고 싶은 마음 탓에, 벌컥벌컥 마시다가, 끝까지 마셔 버리기 일쑤라,

항상, 소량의 술을 집에 비치해 두었다가, 그때그때 상황에 따라, 조금 마신다, 이

런 안정되고 점잖은 재주는, 부릴 수가 없으므로, 자연히, All or Nothing 식으로,

평소에는 집 안에 술은 한 방울도 들이지 않다가, 마시고 싶을 때는, 밖에 나가 실

컷 마신다, 이런 습관이, 붙어 버린 것이다. 친구가 와도, 보통 밖으로 데리고 나

가서 마신다. 집사람한테 들려주기 싫은 화제 같은 것도, 불쑥 튀어나올 수 있고,

게다가, 술은 물론, 안주도, 준비가 안 되어, 그만, 귀찮아서, 밖으로 나가 버리는 것이다. 대단히 친한 사람이라면, 그리고 오는 날을 미리 알고 있다면, 제대로 준비를 해서, 밤이 새도록, 느긋하게 같이 마시겠지만, 그런 친한 사람은, 나에겐, 고작 손에 꼽을 정도밖에 없다. 그런 친한 사람이라면, 아무리 변변찮은 안주라도 부끄럽지 않고, 집사람에게 들려주기 싫은 화제 같은 것도 나올 리는 없으니까, 나는 아주 떳떳하게 실로, 즐겁게, 그야말로 퍼마실 수 있지만, 그런 좋은 기회는, 두 달에 한 번 정도고, 나머지는, 대개 갑작스런 방문에 당황하여, 결국, 밖으로 나가게 되는 것이다. 뭐니 뭐니 해도, 정말로 친한 사람과, 집에서 느긋하게 마시는 것보다 더한 즐거움은 없다. 마침 술이 있을 때, 불쑥, 친한 사람이 찾아오면, 정말이지, 기쁘다. 벗이 있어 멀리서 찾아오니……, 라는 구절이, 저절로 가슴에 서 솟아난다. 그렇지만, 언제 올지, 모른다. 항상, 술을 준비하고 기다린다는 건, 도저히 나는 마음이 내키지 않는다. 평소에는 한 방울도, 술을 집 안에 두고 싶지 않기에、 그런 준비는 좀처럼、 할 수가 없다.

친구가 왔다고 해서、 뭐、 새삼스레 술을 마시지 않아도、 될 것 같기는 한데、 아무래도、 안 되겠다. 나는、 소심한 남자라、 술을 마시지 않고、 진지하게 대화를 하면、 30분 만에、 벌써、 기진맥진、 비굴하고、 오들오들 겁을 먹어、 도저히 버틸 수 없겠다는 생각이 든다. 자유롭고 활달하게、 의견을 밝히는 일 따위、 도저히 할 수가 없는 것이다. 예예、 라든가、 네네、 라든가、 건성으로 대답하면서、 전혀 딴생각만 한다. 마음속으로、 끊임없이 어리석은、 다람쥐 쳇바퀴 도는 자문자답을 되풀이하고 있을 뿐、 나는、 바보천치다. 아무 말도 할 수 없다. 괜히 지친다. 아무리 해도、 견딜 수가 없다. 술을 마시면、 마음을、 속일 수 있어서、 함부로 지껄여도、 그렇게 내심、 반성하지 않게 되어、 아주 살 것만 같다. 그 대신、 술이 깨면、 후회막심이다. 바닥을 구르며、 큰 소리로、 아악 하고、 울부짖고 싶은 심정이다. 가슴이、 벌떡벌떡 소란스러워지고、 가만히 있지를 못한다. 말로 표현할 수 없이 울적해지

는 것이다. 죽고 싶어진다. 술을 안 지도, 벌써 10년이 다 되는데, 조금도, 그 기

분에는 익숙해질 수가 없다. 무신경해질 수가 없는 것이다. 너무나 부끄럽고, 후회

스러운 마음에 말 그대로 데굴데굴 구른다. 그렇다면, 술을 끊으면 되는데, 역시,

친구 얼굴을 보면, 이상하게 너무 들떠서, 가위에 눌린 듯한 떨림이 온몸으로 느껴

져, 술이라도 마시지 않으면, 못 참겠다. 성가신 일이로구나, 나는 생각한다.

그저께 저녁, 정말로 귀한 손님이 셋, 놀러오기로 되어 있어, 나는, 그 사흘 전

부터 안절부절못했다. 부엌에 술이 두 병 있었다. 이것은, 다른 사람한테 받은 것

이고, 나는, 그 처치에 대해서 궁리하던 참에, Y군으로부터, 11월 2일 저녁 A군

과 둘이서 놀러가겠다, 는 엽서를 받았기에, 좋아, 이 기회에 W군에게도 와 달라

고 해서, 넷이서 술 두 병을 처치해 버리자, 아무래도 눈에 거슬려서, 불결해서,

정신 사나워서, 안 되겠다, 넷이서 두 병은, 모자랄지도 모른다. 이야기가 마침 절

정에 다다른 순간인데, 마누라가 얼빠진 표정으로, 이제 술은 떨어졌는데요, 하고

말하면, 듣는 사람 입장에서는, 김이 팍 새는 일이므로, 한 병 더, 술집에 가서,

사다 놓으라고, 나는, 그럴싸한 얼굴로 집사람에게 시켰다. 술은 석 되 있다. 부엌

에 병이, 세 개 늘어서 있다. 그걸 보고 나니, 도저히 진드근히 있지를 못하겠다.

큰 범죄를 저지르는 사람 같이, 마음속 불안, 긴장은, 극점까지 달했다. 분수 모르

는 사치가 아닌가 하는 생각에, 범죄의식이 바싹바싹 몸에 밀어닥쳐, 나는, 그저께

는 아침부터, 의미도 없이 마당을 빙빙 돌고, 또 좁은 방 안을, 성큼성큼 걸어 다

니고, 시계를, 오 분마다 쳐다보면서, 오로지 날이 저물기만을 기다렸다.

여섯 시 반에 W군이 왔다. 그 그림에는 깜짝 놀랐습니다. 감탄했어요. 주근깨

같은 걸, 다 기억하고 계셨군요. 하고, 친근함을 표현하기 위해, 일부러 쓰가루 사

투리를 써 가며 W군은, 웃으며 말하는 것이다. 나도, 오랜만에 쓰가루 사투리를

들으니, 기분이 좋아, 대단히 애를 써서 쓰가루 사투리를 연발하면서, 무읍시더,

묵고 마 다쟈뿌입시더, 하는 식으로, 한 시라도 빨리 취하고 싶어, 계속 마셨다. 일

곱시 조금 넘어서, Y군과 A군이, 함께 도착했다. 나는, 그냥 더 마셨다. 감격을, 뭐라고 전해야 할지 몰라, 그저 마셨다. 죽어라 마셨다. 열두 시에, 모두 돌아갔다. 나는, 쓰러지듯 잠들어 버렸다.

어저께 아침, 눈을 뜨자마자 집사람한테 물었다. 『뭐, 실수한 거 없나? 실수 안 했지? 이상한 말 안 했지?』

실수는 안 한 것 같아요, 라는 집사람 대답을 듣고서야, 다행이네, 하고 가슴을 쓸어내렸다. 그렇지만, 왠지, 모두 그렇게 좋은 사람들인데, 모처럼, 이런 촌구석까지 찾아와 주었는데, 내가 아무것도, 대접하지 못해서, 모두 섭섭함, 환멸감 같은걸 안고 돌아간 건 아닐까 하는, 그런 걱정이 고개를 쳐들었고, 그러자 삽시간에 그 걱정이 소나기구름처럼 온몸에 퍼져, 역시나 이부자리 안에서 안절부절못하고 데굴데굴 구르기 시작했다. 거기에다 W군이, 우리 집 현관에 술 한 병을 몰래 두고 간 것을, 그날 아침에야 발견했고, W군의 호의가, 참을 수 없을 만큼, 가슴에 사무쳐, 그 주변을 맨발로 뛰어다니고 싶을 정도로, 고통스러웠다.

그때, 야마나시현 요시다쵸에 사는 N군이, 찾아왔다. N군과는, 작년 가을, 내
御坂峠 山梨県 吉田町

가 미사카고개에 일하러 갔을 때부터 알게 된 친구이다. 이번에, 도쿄의 조선소에

서 일하게 되었습니다, 하고 환하게 웃으며 말했다. 나는 N군을 놓치지 않겠노라

다짐했다. 부엌에, 아직 술이 남아 있을 터. 게다가, 지난밤 W군이, 가지고 온 술

이, 한 병 있다. 해치워 버리자고 생각했다. 오늘, 부엌의 부정한 것을, 깨끗이 청

소하고, 그리고 내일부터, 결백의 정진을 시작하자고, 마음속으로 계획하고, 억지

로 N군에게 술을 권하고, 나도 퍼마셨다. 그때, 뜻하지 않게, Y군이 부인과 함

께, 잠깐 어젯밤 초대의 답례차 왔느니, 하면서 예의 차린 인사를 하러 온 것이다.

현관에서 돌아가려는 것을, 나는, Y군의 손목을 붙잡고 놓아 주지 않았다. 잠깐이

면 되니까, 아무튼, 잠깐이면 되니까, 사모님도, 들어오세요, 하고, 거의 폭력적

으로, 응접실로 잡아끌어, 이것저것, 입에서 나오는 대로 구실을 만들어, 결국 Y

군도, 술자리에 끌어들이는 데 성공했다. Y군은, 메이지절이라, 근무를 하지 않

기 때문에, 두세 군데 친척집에, 오랜만에 인사를 하러 다니던 중인데, 이제, 한

집만 더, 얼굴을 내밀면 되니까, 이제 그만, 하면서, 툭하면, 도망치려고 하는 것

을, 아니, 그 한 집을 남겨 두는 것이, 인생의 맛이지요, 완벽을 바라면, 못써요,

라는 둥, 개코같은 핑계를 대며, 마침내 술 넉 되, 한 방울 남기지 않고 정리하는

데 성공했다.

곤혹스러운 변명

솔직하게 말하자면, 나는, 이 잡지(현상계懸賞界)로부터 원고를 써 달라는 요청을 받고, 조금, 난처했다. 수락한다는 답장을, 곧바로 쓰지는 못했던 것이다. 그것은, 내 오만함 때문은 아니었다. 완전히, 그와 반대이다. 나는, 이 잡지를, 유독 비속하다고는 생각하지 않는다. 비속하다면, 어느 잡지든 모두 비속하다. 거기에 발표된 작품들도, 모두 비속하다. 나 역시, 말할 것도 없이 비속한 작가이다. 다른 비속함을 비웃는 짓은 나에게는 허락되지 않는다. 사람에겐 각자 필사적인 삶의 방식이 있다. 그것은 존중받아 마땅하다.

내가 곤혹스러운 이유는, 따로 있다. 그건, 내가 전혀 대가가 아니라는, 한 가지

사실 때문이다. 이 잡지의 8월 상순호, 9월 하순호, 10월 하순호 세 권을, 편집자께서 나에게 보내 주셨는데, 한번 죽 훑어보니, 이 잡지의 독자는 거의, 앞으로 「문학이라는 것」을 해 보고자 마음이 이제 막 동하기 시작한 사람인 것 같다. 그러한 마음 상태에 있을 때, 사람은, 드높은 하늘을 우러러보듯, 한 점 티 없이 고귀한 희망을 품고 있기 마련이다. 그리고, 그 희망은, 타인을 또 자신을 기만하지 않는 작품을 쓰고자 하는 구체적인 희망이 아니라, 그저 막연히, 천하에 이름을 떨치려는 야망인 것이다. 그건 당연한 일이고, 전혀 비난받을 성질의 것이 아니다. 평소에, 동료들에게 경멸당하고, 부모 형제에게 걱정 끼치고, 아내, 연인에게까지 신뢰받지 못하고, 좋아, 그렇다면 나도, 분발하자, 옛날에 바이런이라는 사람은, 어느 날 아침 눈뜨니 자기 이름이 세상에 알려졌다고 하지 않았는가, 해 보자, 이런 사정은, 누구에게나 있는 일이고, 이는 극히 자연스러운 인간의 감정이다. 그때, 그 사람이 흥분하여 서점으로 달려가, 맨 먼저 이 잡지(현상계)를 집어 들고,

펼쳐 보니 다자이 오사무가 뭔가 하는, 든도 보도 못한 이름도 이상한 작자가, 선생 행세를 하며 글을 써질러 놓았더라. 정말이지, 김이 빠질 것 같은 생각이 든다.

그 사람의 뇌리에 있는 것은, 나쓰메 소세키夏目漱石, 모리 오가이森鷗外, 오자키 고요尾崎紅葉, 도쿠토미 로카德富蘆花, 그리고, 얼마 전에 문화훈장을 받은 고다幸田露伴로한. 그 문호들 말고는 거들떠도 보지 않는다. 그것은, 그러나, 당연한 일이다. 문호 이외에는, 거들떠보지 않는다는 그 사람의 태도는, 전적으로 옳다. 영원히, 그런 태도를 계속 유지해 주었으면 한다. 비참한 건, 그 잡지에 선생 행세를 하며 뭐라고 중얼중얼 써질러 놓은 다자이라는 작자다.

전혀 유명하지 않다. 이 잡지의 독자는, 전부 앞으로 문학을 시도하고, 천하에 이름을 떨치려는 소위 청운의 뜻을 품고 계시다. 조금도 비굴함이 없다. 어깨를 펴고 창공을 우러르고 있다. 흠 하나 나지 않았다. 물들지 않았다. 그 사람에게, 다자이라는 엉터리 작가의, 추하게 쉬어 빠진 중얼거림이, 과연 들릴지 어떨지. 내

곤혹스러움은, 거기에 있다.

나는 지금까지, 좋은 소설을 한 편도 쓰지 못했다. 전부 흉내만 낸 것이다. 배움

도 없다. 아직 서른한 살이다. 풋내기다. 아직 세상을 모른다고 해도 어쩔 수 없

다. 아무것도, 없다. 자랑할 게 아무것도 없는 것이다. 오직 하나, 좁쌀만 한 프

라이드가 있다. 바로, 내가 바보라는 것이다. 전혀 무익한, 하지 않아도 되는 고

생을, 그것도 스스로 원해서 10년 동안, 전전해 왔다는 것이다. 하지만, 다시, 생

각해 보니, 그런 고생은, 독자 여러분이, 앞으로 문호가 되는 데, 전혀 필요치 않

다. 쓸데없는 고생은, 피할 수 있다면, 그건 피하는 게 좋다. 무슨 일이든, 총명함

이 제일이다. 하지만 나는, 어지간히 머리가 나쁘고, 게다가 또 주제도 모르는 자

만심까지 있어, 사람들이 뜯어말려도, 아니, 괜찮아, 괜찮아 하면서 필부지용匹夫之勇, 혜

엄도 못 치면서 깊은 못에 뛰어들어, 금세, 어푸어푸, 차마 눈뜨고 볼 수 없는 꼴

이었다. 그런 어리석은 작가가, 미래의 오가이, 소세키를 꿈꾸는 이 잡지의 독자에

게, 도대체, 무슨 말을 해야 할지. 실로, 곤혹스러운 것이다.

나는, 악명이, 오히려 높은 작가다. 가지각색으로 곡해되고 있는 것 같다. 하지만, 그건, 역시 내가 모자란 탓이라 생각한다. 참, 어렵다. 나는, 지금부터는, 느긋해질 작정이다. 나는 머리가 나빠서, 한 번에 모든 걸 해결할 수는, 없다. 더듬더듬, 천천히, 기고 걸어서 가는 방법 말고는 없다. 오래 살고 싶어졌다.

사정이 그러하므로, 나는 여러분에게 할 말이, 하나도 없다. 딱 하나, 좁쌀만 한 프라이드가 있다고, 조금 전에 썼는데, 그것도 지금은 지워 버리고 싶은 심정이다. 쓸데없는 고생은, 자랑이 될 수 없다. 그렇지만 나는, 지푸라기 한 가닥에 매달리는 기분으로, 여태껏 어리석은 고생에 집착하고 있다는 것을 고백해야만 한다. 만약 할 말이 있다면, 단 하나, 그것뿐이다. 나는, 이런 쓸데없는 고생을 하고도, 그러고도, 아무것도 이루지 못했으므로, 적어도 여러분만이라도, 자중하여 이런 바보짓은 하지 말라는 지극히 소극적이고 무력한 충고 정도는, 나도, 할 수 있으리라

생각한다. 등대가 도도하게 밝은 빛을 내뿜는 것은, 등대가 자기를 뽐내기 위함이

아니라, 여기는 위험한 곳이니 다가오면 안 된다는 충고의 의미인 것이다.

우리 집으로도, 두어 명, 학생이 찾아온다. 나는, 그럴 때도, 지금과 같은 곤혹

스러움을 느낀다. 그 학생들은, 물론 내 소설을 읽지 않는다. 그들 역시 청운의 뜻

을 품고 있으므로, 내 소설을 경멸한다. 또한, 그래야 한다고 생각한다. 내 소설

따위를 읽을 시간이 있다면, 더 많이, 외국의 일류 작가, 또는 일본의 고전을 읽어

야 한다. 꿈은, 클수록 좋다. 그토록, 내 소설을 경멸하면서, 왜 나를 찾아오는가.

오기 쉬우니까. 그것 말고 다른 이유는, 없는 것 같다. 현관문을 휙 열면, 내가 바

로 거기에 앉아 있다. 집이 좁다.

일부러 찾아와 준 것이다. 설마 악의를 품고, 멀리멀리 이런 시골까지 찾아오는

사람도 없을 테고. 나를 인정해 준 호의에 보답해야 한다. 들어오게, 잘 왔네, 하

고 말한다. 나는, 전혀 훌륭한 사람이 아니므로, 손님을 현관에서 돌려보내는 일

따위, 도저히 할 수 없다. 나는, 그렇게 아주 바쁜 남자도 아니다. 「망중사객忙中謝客」처

럼, 멋진 말은 영원히 나는, 할 수 없겠지.

나보다 훨씬 훌륭한 작가가, 일본에 많이 있으니까, 그 사람들한테 가 보세요.

분명 얻을 것도, 아주 많을 거라고, 나는 언젠가 어떤 학생에게, 진지하게 말한 적

이 있지만, 그때 학생은, 히죽 웃으며, 가도, 저를 만나 주지 않을 걸요, 하고 술

직하게 대답했다. 그런 일을 없을 거라 생각한다, 만나 주지 않으면, 주먹밥 싸 가

지고 문밖에 버티고 서서, 하룻밤이든 이틀 밤이든, 기다리면 되잖나. 정말로 그

사람을 존경한다면, 그런 막무가내도, 꼭 나쁜 짓이라고는 할 수 없을 거야, 하고

나는, 전과 같이 진지하게 말하기는 했으나, 학생은, 이번엔, 깔깔 웃음을 터뜨리

며, 그 정도로 존경하는 사람은, 일본 작가 중엔 없어요, 괴테라든가, 다빈치 제자

가 되는 거라면, 그 정도 고생을 해도 괜찮지만요, 하고 큰소리를 치며, 탁자 위에

있는 만두를 하나 재빨리 집어 볼이 미어지도록 입에 밀어넣었다. 청춘무구한 시절

에는, 꿈은, 모두 이렇게 커야 한다. 나는, 그 학생에게, 아무 말도 할 수 없었다.

나를, 경멸하고 있다. 그렇지만, 그 경멸은 옳다. 나는 가난하고, 게으르고, 무식

하고, 그리고 아주아주, 엉터리 소설만 쓰고 있다. 경멸당해도 싸다.

자네는 괴로운가, 나는 천진난만한 나의 방문객에게 묻는다. 그거야, 괴롭지요,

하고 만두를 꿀꺽 삼키고서 대답한다. 틀림없이 괴로울 것이다. 청춘은 인생의 꽃

이라지만, 다른 일면은, 초조, 고독의 지옥이다. 어찌해야 좋을지, 알 수가 없는

것이다. 틀림없이 괴로울 것이다.

그렇군, 하고 나는 고개를 끄덕이며, 그 괴로움이 힘에 겨워, 나를, 이렇게 찾

아온 건가, 어쩌면 다자이도 예상 외로 좋은 말을 해 줄지 몰라, 아니, 역시나, 그

자식은 안 되겠지? 하는 그런 마음에, 얼떨결에 여기로 오는 건가, 만약, 그렇다

면, 나는, 못 해, 자네에게 좋은 걸 아무것도 가르쳐 줄 수 없어. 무엇보다, 지금

나 자신이 위태로우니까. 나는, 머리가 나빠서, 아무것도 몰라. 단지, 나는 지금

까지, 멍청한 실패만 해 왔기 때문에, 바보 같은 나를 닮지 말라고, 몇 번이나 거

듭해서 말하고 싶을 뿐이야. 학교 빼먹지 말게, 낙제하지 말도록, 컨닝해도 되니

까, 학교만은, 제대로 졸업하라구. 되도록 책을 많이 읽어야 하네. 술집 가서 돈

낭비하면 못 쓰네, 술 마시고 싶으면, 친구, 선배와 소고기전골이나 퍼먹으면서 비

분강개하게나. 그것도 일주일에 한 번 이상 하면, 안 되네. 외로움을 견디게나. 사

흘 견디고도, 외로우면, 그건 병일세. 냉수마찰을 시작하게. 꼭 복대를 두르도록.

남에게 돈을 빌리면 안 돼. 굶어 죽을지언정 빚은 지지 말라구. 세상은, 사람이 굶

어 죽지는 않게끔 되어 있으니까. 안심하게. 사랑은, 꼭 짝사랑인 채로, 숨겨 두

게. 여자에게 사랑을 고백하는 건, 남자의 수치일세. 이심전심. 이 말만 믿고, 느

긋하게 기다리게나. 세상만사, 서두르면 안 되네. 소세키는, 마흔부터 소설을 썼

다네.

어리석은 내가 할 수 있는 최대한의 충고는, 이상과 같이, 심히 고상하지 못한

것들뿐이라서, 그 학생은, 배꼽이 빠지도록 웃었는데, 이 잡지의 독자 또한, 내일의 오가이, 소세키, 괴테를 꿈꾸고 있음이 틀림없으므로, 전혀 유명하지 않고, 대단하지도 않은 이 작가의, 너무나 수준 낮은 외침에는, 필시 실소를 금치 못하리라. 그러면 됐다. 꿈은 클수록 좋으니까.

무관심

여기 미타카(三鷹) 구석으로 이사 온 게 작년 9월 초하루 일이다. 그 전에는 고후(甲府), 그 전에는 고슈(甲州), 그 전에는 고후(甲府), 변두리에 셋집을 얻어 살았다. 한 달 집세는 6엔 50전. 그리고 그 전에는 미사카고개(御坂峠) 꼭대기에 있는 찻집 이층에 세 들어 살았다. 또 그 전에는 오기쿠보(荻窪)에 있는 최하급 하숙집에 방 한 칸을 빌려 살았다. 그리고 또 그 전에는 치바현(千葉県) 후나바시(船橋) 외곽의 24엔짜리 셋집에서 살았다. 어디 살든 매한가지다. 별다른 감흥도 없다. 지금 사는 미타카 집에 대해서도 방문객들은 이러쿵저러쿵 소감을 말해 주지만 나는 늘 지극히 건성건성 적당히 맞장구를 친다. 아무래도 상관없잖아? 난 의식주에 대해서는 완전히 무관심하다. 의식주에 빠져 우쭐거리는 사람은, 왠지 내가 볼 땐 심히 우스꽝스러워 견딜 수가 없다.

울적함이 부른 화

이 신문(帝大新聞제국대학신문) 편집자는, 내 소설이, 육장 실패작뿐이고 전혀 발전이 없다는 사실을 총명하게도 간파했음이 분명하다. 그리고, 이, 주눅 들고, 인기 없는 불량 작가에게 동정심을 느껴, 『문학의 적、이라고 하면 좀 요란스럽지만, 최근 문학에 있어서, 문학에 독이 된다고 생각하는 것、뭐, 그런 것을 써 보세요。』

하고 의뢰한 것이다。

편집자의 동정심에 보답하기 위해서라도 나는、생각하는 바를 정직하게 쓰지 않으면 안 된다。

이런 말이 있다。『나는、내 원수를、꼭 껴안습니다。숨통을 끊어 죽이려는 계략』. 유명한 시구라고 하는데, 누구의 시인지, 배움이 얕은 나로서는, 알 수 없다.

어차피 발칙하고, 형편없는 문학자가 지은 시가 틀림없다. 앙드레 지드가 이를 인

용했다. 지드도 상당히 악업이 깊은 사람인 것 같다. 아무리 시간이 지나도, 비린

내 나는 땡추중이다. 지드는, 그 시구에 이어, 자기 의견을 덧붙이고 있다. 즉,

『예술은 언제나 어떤 구속의 결과입니다. 예술이 자유로우면, 그만큼 높이 올라

가리라는 믿음은, 연의 상승을 방해하는 것이, 실이라고 믿는 것입니다. 칸트의 비

둘기는, 자기 날개를 속박하는 공기가 없다면, 훨씬 수월하게 날 수 있으리라 생각

하지만, 이것은, 하늘을 날기 위해서는, 날개의 무게를 받쳐 줄 공기의 저항이 필

요하다는 사실을 모르기 때문입니다. 마찬가지로, 예술이 상승하기 위해서는, 역

시 어떤 저항의 도움에 의지할 수 있어야 합니다.』 왠지, 어린애 속임수 같은 논법

으로, 약간 결론이 성급하고, 억지스러운 감이 있다.

하지만, 좀 더 참고 그의 말에 귀를 기울여 보자. 지드의 예술평론은, 훌륭하군.

역시 세계 유수로구나, 나는 생각한다. 하지만 소설은, 조금 서투른데. 의욕은 넘

치되, 현을 울리지는 않는다, 이 말이다. 그는 계속 말한다.

『위대한 예술가란, 속박에 고무되고, 장애물을 디딤돌 삼는 사람입니다. 전해

지는 바로는, 미켈란젤로가 모세의 불편한 자세를 생각해 낸 것은, 대리석이 부족

했던 덕분이라고 합니다. 아이스킬로스는, 무대 위에서 동시에 쓸 수 있는 목소리

수가 한정되어 있기 때문에, 그래서 부득불, 코카서스에 사슬로 결박된 프로메테

우스의 침묵을 생각해 낼 수 있었던 것입니다. 그리스는 리라에 현을 한 줄 추가한

자를 추방했습니다. 예술은 구속에서 태어나, 투쟁에 살고, 자유에 죽습니다.』

꽤나 자신 있다는 듯, 단순하게 단언하고 있다. 믿지 않을 수 없다.

우리 옆집에서는, 아침부터 밤중까지, 라디오를 계속 틀어 놓고 있는데, 상당

히, 시끄러워서, 나는, 내 소설의 신통찮음을, 그 때문이라 생각하고 있었지만,

그것은 잘못이고, 이 소음이라는 장애물이야말로 내 예술의 명예로운 디딤돌로 삼

앉아야 했던 것이다. 라디오의 소음은 결코 문학에 독이 되는 것이 아니었다. 이것

저것, 문학의 적을 상정해 보지만, 생각해 보면, 전부 그것은, 예술을 낳고, 성장

시키고, 승화시키는 고마운 모체였다. 가슴 아픈 이야기다. 어떤 불평도 할 수 없

게 됐다. 나는 변변찮은 불량 작가지만, 그래도, 역시 최고의 길을 걷고 싶다. 늘

위대한 예술가의 마음가짐을, 비슷한 것이라도 좋으니, 지니고 싶다. 위대한 예술

가란, 속박에 고무되고, 장애물을 디딤돌 삼는 사람입니다, 라고 지드 할아버지께

서, 상냥하게 타이르자, 너도나도 모두 함께 「착한 아이」가 되고 싶어, 네, 하며

대견스럽게 고개를 끄덕이고는, 막상 자리에서 일어나 보니, 너무나 터무니없는

말이었다. 자기를 후려치고, 옭아매는 사람들한테, 일일이, 『이거, 감사합니다.

덕분에 제 예술도 고무되었습니다.』라며 절을 하고 다녀야 할 판이다. 신발짝으

로 얼굴을 두들겨 맞고, 그 신발짝을 비단 보자기에 싸서, 아침저녁으로 경건하게

절을 했더니 입신출세를 했다나 뭐라나 하는 이야기를 만담장에서 듣고, 실로 어처

구니가 없어서, 웃어 버린 일이 있긴 하지만, 그와 별반 다르지 않다. 위대한 예술

가가 되는 것도 참, 힘든 일이지. 하고 적당히 얼버무려 버리면, 모처럼 지드가 한

말도, 싸구려가 되고 말겠지만, 지드의 말은 결과론이다. 후세, 방관자의 말이다.

미켈란젤로도, 그 당시엔 대리석 부족에 비분통탄했다. 투덜투덜 불평을 늘어놓

으며 모세상을 제작했다. 뜻밖에도 미켈란젤로의 천재성이, 그 대리석의 부족함을

채우고도 남았으므로, 성공한 것이다. 하물며 우리네 잔재주꾼들은, 두들겨 맞았

다고 좋아하고 있어서는, 창작이고 뭐고 사라지고 없어진다.

불평은 크게 하는 게 좋다. 적을 용서해서는 안 된다. 지드도 분명히 말했다.

「투쟁에 살고」라고 틀림없이, 분명히 말했다. 적은? 아아, 그건 라디오가 아니

야! 원고료가 아니야! 비평가가 아니야! 현명한 노인이 말하기를, 『마음속 적

이, 가장 무서운 법이라』내 소설이, 아직 서툴고 발전이 없는 것은, 내 심중에,

역시나 탁함이 있기 때문이다.

《미켈란젤로의 모세》

모르는 사람

올해 정월은, 참혹했습니다. 5일 지나서부터, 허리 오른쪽에 종기가 생겼는데,

내버려두었더니 점점 그게 성장했고, 15일까지는 술을 마시거나 하면서 불안한 마

음을 달래고 있었는데, 끝내 16일부터는, 자리에 드러눕고 말았습니다. 오한 동

통, 이삼일은, 밤에도 제대로 못 잤습니다. 수술은, 하기 싫어서 무니코라는 고약

無二膏

을 환부에 붙이고, 그것만으로는 왠지 마음이 놓이지 않아, 지금 유행하는 듯한,

그 「두 가지 술폰아미드기」를 함유한 고가의 약품을 복용해 보았습니다. 포도상구

균, 연쇄상규균에 의한 여러 질환에도 탁월한 효과를 발휘한다고 되어 있기에, 나

는, 그 약을, 처음 두 알 복용했을 때부터, 이미 회복을 향한 첫걸음을 내딛은 것

같은, 상쾌함을 느꼈습니다. 나는, 약국에서 파는 약의 효능서를, 진짜로 신용하는 어리석은 성격의 소유자입니다. 그 「두 가지 술폰아미드기」를 함유한 고급 화학요법제에 대해서는, 전부터 신문 광고를 보고 알고 있었고, 이제 직접 구입하여, 약품에 첨부되어 있는 효능서를 유심히 들여다보며, 차분히 읽어 보니, 허리에 난 종기를 망각해 버릴 만큼 안심이 되었습니다. 효능서에 의하면, 이건, 엄청난 약입니다. 세계를 놀라게 할 위대한 발명입니다. 나는, 여기에서 그 약품의 광고를 할 생각은 없으므로, 자세히 쓰지는 않겠지만, 실로 갖가지 잡다한 난치병에 효과를 발휘하는 약품입니다. 이제, 이걸로 나았다. 종기가, 나을 뿐 아니라, 살결도 매끄러워지고 색도 하얘질지 몰라, 하고 집사람에게 농담을 하며, 얌전히 모로 누운 채, 약효를 기다리고 있었습니다. 두 알씩, 하루 세 번 복용하면, 웬만한 종기는, 낫는다는 효능서의 말이었습니다만, 이틀 복용하고, 사흘 복용해도, 눈곱만큼도 나아지지 않습니다. 배가 이상하게 땡땡해지고, 꾸르륵꾸르륵 소리가 납니다. 위에 안 좋은 약 같습니다. 사흘 복용하고, 그 후에는 복용을 금지하시오, 사흘 또는 닷새 쉬었다가, 그리고 다시 두 알씩 복용을 개시하시오, 하고 효능서에 적혀 있었으므로, 나는, 조금도, 효과를 보지 못한 채로, 그 약의 복용을, 중지해야만 했습니다. 이미 나는, 사흘, 복용해 버린 것입니다. 김이 팍 샌 느낌이었습니다. 종기는 더욱 발전하고, 지금은 고약으로는 역부족, 탈지면에 무자극 연고를 발라 환부에 붙이고, 하루에도 대여섯 번씩이나 갈아 줘야 했습니다. 고름이, 자꾸만 나오기 때문입니다. 그 몰골, 역시 글로 묘사하는 건 사양하겠지만, 아무튼, 처참함의 극치였습니다. 술병 밑바닥만 한 커다랗고 깊은 구멍이 허리에 뻥 뚫려 버렸습니다.

입원, 이라는 것도 생각했습니다만, 그래도, 역시 마음 저 깊은 곳에서는, 그 값비싼 「두 가지 술폰아미드기」를 함유한 세계적인 신약을, 의지하고 있는 듯하여, 조만간에 탁월한 효능을 발휘할 것이라고, 거동도 못하고 조용히 누운 채, 하늘에 기도하는 심정이었습니다. 복용 중지 기간인 사흘이 지나고, 다시 나는 약품 복용

을 개시했습니다. 하염없이 고름이 흘러나올 뿐이었습니다. 환부를 보니, 지독한

참상에 어쩔어쩔 현기증이 납니다. 종기로 죽은 놈도 없을 거야, 따위 허세를 부리

며, 의사에게 보여 줄 생각도 하지 않았지만, 아무래도, 야밤에 혼자 잠에서 깨어,

이런저런 생각을 하다 보면, 어지간히 불안해지는 것이었습니다. 자리보전한 지

도, 벌써 열흘 이상 됩니다. 지금은, 고름도, 별로 나오지 않게 되었고, 몸도 가벼

워지고, 이렇게 자리에 엎드려 원고를 쓸 수 있게 되었습니다. 점차 좋아지겠지요.

역시 「두 가지 술폰아미드기」 덕분일까요? 그렇다 치더라도, 픽이나 완만한 효과

발휘입니다. 완쾌까지는, 아직 상당한 시일이 걸릴 것 같은 기분이 듭니다. 내가,

너무 우쭐해서 효능서의 문구를 지나치게 믿은 게로군요. 현실은, 대개, 이렇지 않

을까요? 이 세상에, 기적 따위를, 기대했던 내가, 바보입니다.

열흘 동안, 누워만 있었더니, 꽤 책을 읽었습니다. 이것저것, 가리지 않고 읽었

습니다. 보내 주신 동인잡지도, 전부 독파했습니다. 하나, 마음에 남는 기사가 있

습니다。
第一早稻田高等學院 제일와세다고등학원의 「學友會雜誌 학우회잡지」에、 K교수의 추모 기사가 실려 있었

습니다。K교수라는 사람은、어떤 사람인지、나는 전혀 모릅니다。만난 적은 고사

하고、이름조차 들어 본 적이 없습니다。하지만、그 잡지에 실린 추모 기사 네 개

를 읽고、진심으로 그 사람이、그리워지고、안타까워졌습니다。이렇게 아름다운

사람이 있었구나 생각하면 마음이 훈훈하고 즐겁지만、또한、이제 이 사람도、죽

어서、만날 수 있는 가망이、전혀 없다고 생각하니、가슴이 허전해지고 쓸쓸해지

는、이상한 기분이 들었습니다。네 사람이、추도문을 썼는데、그 네 사람 이름도、

나는 모릅니다。네 명 모두、와세다의 선생님이겠지요。내가 모르는 사람들뿐이지

만、상당히 공을 들여 잘 썼습니다。추도문을 읽고、나처럼 고인을 전혀 모르는 사

람도、고인에 대해 추모하는 마음을 갖게 되는 것은、그것은、분명 추도문이 진실

하기 때문이고、또 그 추도문의 필자가 고인에게 품은 애정이 깊다는 증거라고 생

각할 수 있지만、또한、그만큼 고인의 덕이 깊음을 미루어 짐작할 수 있는 대목일

것입니다。 다시 말해、 고인의 깊은 덕이、 이처럼 벗들로 하여금、 아름다운 추도문

을 쓰게 하였구나、 하는 교호상조(交互相照)의 작용을 생각할 수도 있는 것입니다。 나는 끝부

분부터 거꾸로 읽어 갔습니다。 가장 마지막에는、 Y、T라는 사람이 『K군은 걸으

면서 이야기를 나누는 듯한 사람이었다。 마주앉아 이야기할 때도、 서로 다른 쪽을

보며 말했다。 그것이 매우 기분 좋았다。 그리고 말없이 있어도 기분이 좋았다。』라

고 썼습니다。 또、『기세 좋게 논쟁을 걸면 K군은 대개 잠자코 있다가、 적어도 10

초는 생각한 후에 입을 뗀다。 자네 하는 말도、 그래、 그럴 수도 있어。 하고 K군

은 독특한 악센트로 말하며 대부분 찬성해 준다。 K군은 마음이 약한 사람이다。 아

마 많은 사람들이 K군을 얕봤을 것으로 생각한다。 그건 정말이지、 옆에서 보고 있

자니 속이 터질 지경이었다。 K군은 결코 타인의 악담을 하지 않는다。 타인의 비평

을 하지 않는다。 결코 뒤에서 험담을 하지 않는다。 하지만、 싫은 일、 사소한 일은

말없이 지나가는 사람이었다。 운운。』 등 그 밖에 좋은 말을 많이 썼습니다。 M、K

라는 사람이, 그 앞 페이지에 이렇게 썼습니다. 『정말 그 사람의 은근하고 정중한 성격은, 타고난 것 같다. 간부 후보생을 무사히 마치고, 기병소위가 되고 나서의 일이다. 어딘가로 연습을 갔다가 돌아올 때, 집합 명령을 내렸지만, 잡담에 여념이 없던 부하 두세 명에게는 들리지 않았던 것 같다. 성큼성큼 다가간 K소위, 느닷없이 따귀라도 한 대 때리려나 싶었는데 그게 아니라, 「미안한데, 그 정도로 해두고 빨리 모여 주세요.」 하고 말한 것이다. 부하는 어리둥절. 옆에 있던 상관이, 그래서 위엄이 서겠는가, 하며 얼굴이 시뻘게져서는 K소위를 호되게 다그쳐 진땀을 빼게 했다고 하는데, K는, 그런 사람이다. 결코 으스대지 못하는 사람이다. 그럼에도 불구하고 꽤 강한 면도 있어서, 학문과 관계된 논의라면, 좀처럼 물러서지 않는다. 다짜고짜 밀고 나가려고 하면, 잠자코 듣고는 있지만, 「그렇긴 한데 말이야」 하며 끈덕지게 덤빈다. 말을 내뱉으면 물리지 않는다. 마지막에는 사전을 꺼내 온다. 참고서를 뒤적인다. 그렇게 되면 여간해서는, 나의 패배다. 책을 원체 많

騎兵少尉

이 읽는 사람이라서』라고 썼습니다. 또 『진정한 의미의 유머가、K군의 특색이었다. 우스갯소리나 서투른 농담을 하지 않기에、K군을 유머리스트라고 누구도 여기지 않지만、인사말이나、서문을 쓰게 하거나 하면、K군이 쓴 글은 천하일품이다. 약간 긴 것 같기는 하지만、제법、마지막까지 눈을 떼지 못하게 하는 재미가 있었다. 미소는、짓는 사람에게도、보는 사람에게도、고상하고 좋은 것이다. 그런 가벼운 미소를 K군은 늘 사람들에게、계속 던지고 있었다. 그래서 K군 곁은、언제나 봄바람이 불었다. 운운。』그 앞 페이지에는、D、E라는 사람이、『그는、자기가 살기 위해서、어쩔 수 없이 다른 사람을 제물로 삼는 일 따위는、정말이지 생각조차 할 수 없는 사람이었다. 모른、척하고 다른 사람에게 폐를 끼치는、그런 짓은 절대로 그의 본성이 용납하지 않았다. 그는 정말로 불편한 마음이 들더라도、다른 사람에게 폐를 끼치지 않도록 이곳에서、저곳으로、마치 징검돌 밟듯 걸어 다녀야 했다。』라고 애정을 가지고 설명하고 있습니다. 또、그 앞 페이지에는、T、I

라는 사람이, 『이상한 말일지도 모르지만, K씨는, 진짜 목소리를 내는 사람이었다, 그리고 진짜 목소리밖에, 내지 않는 사람이었다. 순진하고 솔직하며 자기를 속이지 못하는 사람이었던 한편, 그런 사람에게서 가끔 보이는 타인에 대한 냉혹함이 거의 없고, 오히려 고운 마음씨를 가진, 선배에 대해서는 지극히 겸손한, 실로 아름다운 심성의 소유자였다는 사실은, 역시, K군의 깊은 자기교양에서 우러나온 것이 아닐까 한다.』라고 쓰고, 그 실례를 서너 개 들고 있습니다. 정말로 K씨는, 좋은 사람이다, 된 사람이다. 이런 좋은 사람이, 어째서 죽었을까, 하고 추도 기사의 맨 앞장을 펼쳐 보니, 거기에, 학원장 K, M이라는 사람이 쓴 애도사가 있습니다. 『제일와세다고등학원 교수 육군기병 중위 K, 사망. K군은 작년 9월 소집에 응하여 출정길에 올라, 남지나해 바이어스만 상륙군에 가담, 광둥 공략전에 참가하여 분투하였으나, 얼마 안 가 병에 걸려, 전선에서 후퇴할 수밖에 없는 상황에 이르러, 그 후 대만에서, 나중에는 히로시마(広島)에서 치료를 받고, 다시 도쿄일본적십

자병원으로 이송, 오로지 건강 회복에 매진했으나, 하늘이 무심하여 더 이상의 시간을 K군에게 주지 않고, 지난달 29일, 침통하게도 끝내 불귀의 객이 되었다. 운운,"이라고 쓰여 있어서, 나는, 왠지, 이부자리를 박차고 싶은 심정이었습니다.

작고, 아름다운 기적을, 눈앞에서 보는 듯한 기분이었습니다. 기적은, 역시 있습니다.

≪죠슈 시마온천 뒷동산에서≫ 1940년 4월
다자이 오사무

의무

의무 수행이란, 예삿일이 아니다. 그러나, 해야만 한다. 왜 사는가. 어째서 글을 쓰는가. 지금 나에게, 그것은 의무를 수행하기 위함입니다, 하고 대답할 수밖에는 없다. 돈을 위해 쓰는 건 아닌 것 같다. 쾌락을 위해 사는 것도 아닌 것 같다. 요전날에도, 들길을 홀로 걸으면서, 문득 생각했다. 「사랑이라는 것도, 결국은 의무의 수행을 말하는 게 아닌가.」

분명히 말하는데, 나는, 지금 다섯 장 수필을 쓰는 것이, 대단히 고통스럽다. 열흘이나 전부터, 무엇을 써야 할지 생각했다. 어째서 거절하지 않았는가. 부탁받았기 때문이다. 2월 29일까지, 대여섯 장 써 주십사, 하는 편지였다. 나는, 이 잡지

（文學者）의 동인이 아니다. 또, 앞으로, 동인이 될 생각도 없다. 동인의 태반은,

내가 모르는 사람뿐이다. 반드시 써야 할, 이유는 없다. 그렇지만 나는, 쓰겠다,

하고 답장을 했다. 고료가 탐나서도 아니었던 것 같다. 동인 선배들에게, 알랑거릴

마음도 없었다. 쓸 수 있는 상황에 있을 때, 부탁을 받으면, 그때는 반드시 써야

한다, 라는 계율 때문에 『쓰겠습니다.』 하고 답장을 했던 것이다. 줄 수 있는 상황

일 때, 남에게 부탁을 받으면, 줘야 한다는 계율과 같은 것이다. 아무래도, 내 문

장의, vocabulary는 과장된 것뿐이라, 그래서, 다른 사람들에게 반발을 사는 모양

인데, 어쩐지 나는 「북방 농사꾼」의 피를 듬뿍 물려받은 모양이라, 「큰 것은 타고

난 목소리」라는 숙명을 지니고 있는 것 같으니, 그 점에 대해서는, 쓸데없는 경계

심은 갖지 말아 주었으면 한다. 나 자신도, 무슨 말을 하고 있는지, 모르겠다. 이

래서는, 안 돼지. 똑바로 고쳐 앉자.

의무니까, 쓰는 것이다. 쓸 수 있는 상태에 있을 때, 라고 앞서 말했다. 그것은

고매한 걸 말하는 게 아니다. 다시 말해 나는, 지금 코감기에 걸려, 열도 조금 있지만, 누울 정도는 아니다. 원고를 쓰지 못하겠다고 할 만한 병도 아니다. 쓸 수 있는 상태에 있는 것이다. 또 나는, 2월 25일까지 예정된 일은 다 했다. 25일부터, 29일까지는 약속된 일도 전혀 없다. 그 나흘 동안, 나는, 다섯 장 정도는, 어떻게든 해서 쓸 수 있을 것이다. 쓸 수 있는 상태에 있는 것이다. 그래서 나는 써야만 한다. 나는, 지금, 의무를 위해 살고 있다. 의무가, 내 목숨을 지탱해 주고 있다. 나 한 사람 개인의 본능으로 보면, 죽어도 괜찮다. 죽으나, 사나, 아프나, 그다지 다를 게 없다고 생각하고 있다. 그러나, 의무는, 나를 죽게 내버려두지 않는다. 의무는, 노력을 명한다. 쉼 없이, 더, 더 노력할 것을 명한다. 나는, 비실비실 일어나, 싸운다. 지고는 살 수 없다. 단순하다.

순문학 잡지에, 짧은 글을 쓰는 것만큼 고통스러운 일은 없다. 나는 허세가 심한 남자라, (쉰 살이 되면, 이 허세라는 악취가 사라질까? 어떻게든 해서, 무심하게 쓸 수 있는 경지까지 가고 싶다. 그것이, 단 하나의 바람이다.) 기껏해야 다섯 장 여섯 장짜리 수필에도, 내가 생각하는 전부를 욱여넣고 싶다는 허세를 부린다. 그건, 불가능한 일 같다. 나는 늘 실패한다. 그리고 또, 그런 실패한 글만 골라서, 선배, 친구들이 읽고 있는 듯, 걸핏하면 뭐라 뭐라 충고를 받는다.

어차피, 나는 아직 심경 정리가 안 되어, 수필 같은 걸 쓸 수 있는 주제가 안 된다. 이 다섯 장짜리 수필도, 『쓰겠습니다』 하고 답장하고 나서, 열흘이나 나는, 이것저것 쓸 만한 재료를 취사선택하고 있었다. 취사선택이 아니다. 버리기만, 했을 뿐. 이것도 안 돼, 저것도 안 돼, 하고 버리기만 하다가, 결국 아무것도 남지 않았다. 어물쩍 좌담회에서는 말할 수 있겠지만, 허풍스럽게 순문학 잡지에 『어제, 나팔꽃을 심으며 느낀 바 있으니……』 따위 글을 쓰고, 그것을 한 글자 한 글자, 활자공이 식자하고, 편집자가 교정하여, (타인의 따분한 중얼거림을 교정하는 것은, 꽤나 괴로운 법이다) 그리고 서점 앞에 나와, 한 달 동안, 나팔꽃을 심었습

니다, 나팔꽃을 심었습니다, 하고 아침부터 저녁까지, 잡지 구석에서 되풀이하고

되풀이하고 골백번 되풀이하면서 말하는 것은, 도저히, 견딜 수 없다. 신문은, 하

루면 끝나니까, 그나마 괜찮다. 소설이라면, 또한, 말하고 싶은 만큼 다 할 수 있

으므로, 한 달쯤, 점두에서 계속 외쳐도, 주눅들지 않을 각오가 되어 있지만, 아무

래도, 나팔꽃 심고 느낀 바를, 한 달, 점두에서 계속 소리칠 용기는 없다.

《죠슈 시마온천에서 아슬아슬한 다자이》 1940년 4월
다자이 오사무
이부세 마스지.

작가상

까짓거 수필 열 장쯤 못 쓸 것도 없지만, 필자는, 벌써, 오늘로 무려 사흘째 계속 생각에 잠겨, 썼다가는 금세 찢고, 또 썼다가는 금세 찢고, 일본은 지금, 종이가 부족한 시기이고, 이렇게 찢어 대면, 아깝다고 나 스스로도, 조바심을 내지만서도, 나도 모르게 찢고 만다.

말할 수 없는 것이다. 하고 싶은 말을 할 수 없는 것이다. 해도 되는 말과 하면 안 되는 말의 구별을, 필자는, 잘 할 수가 없는 것이다. 「도덕적 능력」이라고나 할까, 그걸 아직까지 터득하지 못한 것 같다. 하고 싶은 말은, 산더미처럼 있다. 진정, 말하고 싶다. 그때 문득, 누군가의 목소리가 들린다. 『무슨 말을 하더라도,

자네, 결국에는 자네의 자기변호가 아닌가.』

아니야! 자기변호 따위가 아니라고, 서둘러 부정해 버렸지만, 가슴 한구석에는, 뭐 그럴지도 모르지, 하고 소심하게 긍정하는 마음도 있어, 나는, 쓰고 있던 원고지를 둘로 찢고, 다시 또, 넷으로 찢는다.

『나는, 이런 수필은, 젬병이지 않나 싶다.』 하고 쓰기 시작해서, 그 다음에 또 조금 더 쓰다가, 찢는다. 『나는 아직 수필을 쓸 수 없는 건지도 모른다.』 라고 썼다가, 또 찢는다. 『수필에 허구는, 용납되지 않기 때문에』 라고 썼다가, 허둥지둥 찢는다. 무슨 일이 있어도, 하고 싶은 말이 하나 있지만, 아무렇지 않게 쓸 수가 없다.

목표물로 삼은 상대에게만, 실수 없이 명중하고, 다른 착한 사람들에게는, 먼지 하나 묻히고 싶지 않은 것이다. 나는 요령이 없어서, 뭔가 언동이 적극적이 되면, 반드시, 쓸데없이 다른 사람에게 상처를 준다. 친구 사이에서는, 내 이름은,

「곰손」으로 통한다. 쓰다듬어 위로해 준답시고, 할퀸다. 쓰카모토 도라지 씨의

『우치무라 간죠의 추억』을 읽다 보면, 그 속에,

『어느 여름, 신슈 구스카케 온천에서, 선생님이 장난삼아 우리 아이한테 따뜻

한 물을 끼얹으셨는데, 아이가 울음을 터뜨렸다. 선생님은 애처로운 표정으로,

「내가 하는 일은 모두 이 모양일세, 친절이 원수로 둔갑하지」 하고 말씀하셨

다」

라는 글귀가 있지만, 나는 그것을 읽고, 잠시, 안절부절못했다. 건너편 강기슭

에 돌을 던지려고, 크게 모션을 하니, 바로 옆에 서 있는 여자가 팔꿈치에 맞아,

여자는, 아야야, 하고 비명을 지른다. 나는 식은땀을 흘리며, 어떻게든 자초지종

을 설명하며 변명해도, 여자는 불쾌한 표정을 짓고 있다. 내 팔은, 남들보다 길지

도 모른다.

수필은 소설과 달리, 작가의 말도 「날것」이므로, 대단히 조심해서 쓰지 않으면,

엉뚱한 주변 사람까지 상처입힌다. 결코 그 사람 이야기를 하는 게 아니다. 과장해서 말하면, 나는 언제나 「인간 역사의 실상」을, 하늘에 보고하는 것이다. 사적인 원한이 아니다. 하지만, 그렇게 말하면 또, 사람들은 비웃으며 나를 믿지 않는다.

나는, 어지간히, 야무지지 못한 남자가 아닌가 생각한다. 말하자면 「관념쟁이」다. 말이나 행동을 하려고 할 때, 먼저 관념이 앞장선다. 하룻밤, 술을 마실 때도, 뭔가 구실을 붙여 마신다. 어제도 나는, 아사가야(阿佐ヶ谷)에 나가서 술을 마셨는데, 거기에는, 이런 사정이 있다.

나는, 이 신문(미야코신문 都新聞)에 보낼 수필을 쓰고 있었다. 하고 싶은 말은 있었지만, 그걸, 도저히 쓸 수가 없었고, 이게 수필이 아니라, 소설이었으면, 얼마든지 활달하게 쓸 수 있겠는데, 하면서 한 달 전부터 구상 중인 단편소설을 되새김질해 보고는 왠지 즐거워서, 쓴다면 소설로, 현재의 울적한 심정을 토로하고 싶다. 현재로써는 소중히, 간직해 두고 싶다. 그 내용을, 지금 수필로 발표해도, 표현이 서툴

러、다른 사람에게 오해를 사고、말꼬리를 잡히고、싸움에 휘말리면、아무 소용이

없다。나는、신중하고 싶다。지금은 어떻게든、바보 행세를 하고、『오늘 날씨 쾌

청하여、여느 때처럼 산책을 가 봤더니、홍매、일찍도 피었구나、천지유정(天地有情)、봄 어

김없이 다시 왔도다。』하는 식으로、끝까지 시치미를 떼야 한다。그렇게도 생각하

지만、나는 어지간히 요령이 없어서、감쪽같이 감정을 숨기지는 못하는 성격이라、

기쁜 일이 있으면、그만、싱글벙글 웃어 버린다。사소한 실수라도 하면、꼭、시무

룩한 표정을 짓고 만다。시치미를 떼기가、너무나 어렵다。이렇게 썼다。

『아무도 그것을 인정해 주지 않더라도、나 혼자서、일류의 길을 걷고자 노력하

고 있다。그래서 매일、필요치 않은 고생을、많이 해야 한다。나 자신도、멍청하다

고 생각하기도 한다。혼자서 얼굴이 빨개지기도 한다。

전혀 인기가 없지만、스스로는、대단하다고 여기며 나아가고 물러감에 있어、언

행을 삼가고 또 삼가고 있다。큰일을 앞둔 상황에서 작은 일에도、경계심이 필요하

다. 하찮은 일로 차질을 빚어서는 안 된다. 반복되는 일상에서 불쾌한 일이 있더라

도, 배를 긁으며, 웃어야만 한다. 조만간에 걸작을 쓸 사내 아니던가, 등등, 그럴

싸한 말로, 얼빠진 감개를 늘어놓고 있다. 머리가, 나쁜 게 아닌가 싶다.

어쩌다 신문사로부터, 수필의 기고를 부탁받아, 용기 내어 달려들지만, 이것도

안 돼, 저것도 안 돼 하며 찢어 버리고, 고작 열 장 남짓한 원고에, 사흘 나흘씩

끙끙대고 있다. 과연, 하고 독자가 무릎을 탁 치게 할 만큼 번뜩이는 수필을 쓰고

싶은 모양이다. 너무 오래 끙끙댄 나머지, 그러는 사이에, 뭐가 뭔지, 알 수 없게

되어 버렸다. 수필이란 것이, 어떤 것인지, 알 수 없게 되어 버렸다.

책장을 뒤져 책을 두 권 꺼냈다. 「마쿠라노소시枕草子」와 「이세모노가타리伊勢物語」 두 권이

다. 이 책으로, 예부터 전해 오는 일본 수필의 전통을, 살펴보려 한 것이다. 뭘 하

든 참 우둔한 남자다.』

하고, 거기까지는, 일단 크게 잘못된 것은 없었는데, 『그러나』 하고 이어서 한

장쯤 쓰다가, 이거 안 되겠다 하고, 부랴부랴 찢어 버렸다. 아, 하마터면 그 바로 뒤에, 중요한 내용을 흘릴 뻔했던 것이다.

한편, 쓰고 싶은 단편소설이 있다. 그걸 다 쓸 때까지는, 나에 대해서, 어떤 인상도 다른 사람에게 심어 주고 싶지 않다. 꽤나, 그건 고생스러운 일이다. 또, 사치스러운 취미, 라는 것도, 나는 알고 있다. 그러나, 되도록이면, 나는 그때까지 숨어 있고 싶다. 시치미 떼고 싶다. 그것이 나와 같은 단순한 남자에게는, 지극히 어렵다. 나는, 어제도 이런저런 고민을 했다. 흠, 무난한 수필 재료가 없을까? 죽은 친구 이야기를 쓸까. 여행 이야기를 쓸까. 일기를 쓸까. 나는 일기라는 걸, 지금까지 써본 적이 없다. 쓸 수가 없다.

하루 동안 일어난 일 중에서, 어느 걸 생략해야 하는지, 어느 걸 적어야 하는지, 그 취사선택의 한도를, 알지 못한다. 자연히, 시시콜콜, 전부 다 쓰게 되고, 하루 쓰고, 벌써 초주검이 되어 버린다.

정확하게 쓰고 싶다는 생각에, 될 수 있으면 잠들기 직전까지 있었던 일을 남김없이 쓰고 싶기도 해서, 정말이지, 성가셔진다. 게다가, 일기라는 것은, 미리 다른 사람에게 공개될 날을 고려해서 써야 하는 건지, 신과 나 둘만의 세계에서 써야 하는 건지, 그 부분의 마음가짐도, 어렵다. 결국, 일기장은 사뒀자, 만화를 그리거나, 친구 주소 같은 걸 적어 넣는 정도의 물건이지, 하루하루 있었던 일을 기록하지는 못한다. 하지만, 집사람은, 뭔가 자그마한 수첩에 일기를 적고 있는 것 같아서, 그걸 빌려서, 거기에 내가 주석을 달자고 결심했다.

『여보, 일기 쓰는 거 같던데. 좀 줘 봐.』 하고 무심하게 말했는데, 집사람은,

무슨 영문인지, 극구 마다한다.

『안 줘도, 되는데, 그럼 난, 술을 마셔야 돼.』 대단히 뜬금없는 결론인 듯하지만, 그렇지는 않다. 그 일기 말고는, 이 수필에서 벗어날 길이 없기 때문이다. 제대로 된 이유다. 나는, 이유가 없으면 술을 마시지 않기로 했다. 어제는, 그런 이

유가 있어서 나는, 아사가야에 점잔 빼는 얼굴을 하고, 술을 마시러 나갔다. 아사가야 술집에서, 나는 매우 조심조심 술을 마셨다. 나는, 지금, 중요한 일을 가슴에 품고 있으므로, 멍청한 짓은 할 수 없다. 위대한 노작가와 같은 차분함을 흉내 내며, 조용히 술을 마시고 있었는데, 술이 올라, 말짱 도루묵이 되었다.

양아치처럼 생긴 손님 둘을 상대로, 『사랑이, 뭔지. 알어? 사랑이란, 의무의 수행이라 이거야. 슬프구만. 또 말이지, 사랑이란, 도덕의 고수(固守)야. 또, 사랑이란 건 말이야, 육체의 포옹이라, 이거야. 둘 다 똑바로 들으라구. 어쩌면 그럴 수도 있구. 정확할 수도 있구. 그치만, 하나 더, 하나 더, 또 있는데. 알겠어? 사랑이란 말이지, ──에라이, 나도 모르겠다. 그거를, 알면, 내가, 응?』 어쩌고저쩌고, 중요한 일이고 자시고 개똥이다. 나사 빠진 소리만 잔뜩 하다가, 얼마 못 가 술이 떡이 되어 곯아떨어졌다.

큰 은혜는 입 밖에 내지 않는다

얼마 전에, 「부인공론(婦人公論)」의 N씨가 찾아오셔서, 『이거 참, 너무너무, 한심한 부탁이라, 염치는 없지만,』 하고 말하며, 「은수기(恩讐記)」라는 테마로 몇 장 써 주시지 않겠습니까, 하고 말씀하셨다. 『은수기. 은혜와 원한입니까?』 하고 나는, 손가락으로 책상 위에, 그 은(恩)이라는 글자와 수(讐)라는 글자를 쓰며, N씨에게 캐물었다. N씨는 솔직하고, 시원스러운 사람이었다. 『그렇습니다. 뭐, 그렇게 좋은 테마는 아니라고, 저도 생각합니다. 편지로 부탁드리면, 작가님은, 분명 거절하실 거라고 생각해서, 그래서, 제가 오늘 댁으로 부탁드리러 온 겁니다. 은은, 모르겠지만, 수라면, 썩 기분이 좋은 건 아니라서, 테마에 크게 구애받지 마시고, 어릴 때, 누구한테 맞고, 분했다든가, 그런 일이라도 써 주시면, 됩니다.』

나는, N씨의 친절함은, 잘 알겠지만, 내심, 못마땅한 기분이었다. 좌우간, 거절하는 것 말고 다른 방법이 없다고 생각했다. 『저한텐, 쓸 것이 없어요. 은혜라고 하면, 어렸을 때부터, 이미 은인투성이라, 지금도, 하루도 잊지 못하는 은인이, 열 분 이상이나 있고요, 일일이 이름을 대는 것도, 서먹서먹하고, 오히려 실례일 것 같아서, 「큰 은혜는 입 밖에 내지 않는다」는 말 그대로, 나는 이제, 별로 말하고 싶지 않습니다. 복수심은, 전혀 없습니다. 골이 나면, 그 자리에서 말해 버립니다.』

예전에, 나는 은혜를 느끼고 있는 분들께, 느낀 그대로, 「은」이라는 단어를 써서 말했는데, 오히려 그분들과, 또 그 주위 사람들에게 오해를 받은 적이 있다. 좀처럼, 입에 담을 수 있는 말이 아닌 것 같다.

『그거면 됩니다.』하고 N씨는, 내 설명을 듣고 고개를 끄덕였다. 『지금, 말씀

하신 것을, 그대로 써 주시면, 됩니다.』 N씨는, 나와 마찬가지로, 땀이 많은 체질

같아서, 연신 손수건으로 얼굴의 땀을 닦고 있었다.

『쓰고 싶지 않습니다. 네 장, 다섯 장짜리 수필만 쓰다 보면, 너무 염세적이 되

어 버려요. 정말이지 복수심이 생길 것 같네요. 조용히, 소설만 쓰고 싶습니다.』

『그러시겠군요.』 하고 N씨는, 진심으로 동감을 해 준다. 『정말로, 안 되는데,

이런 걸 부탁드리면. 그러니까, 테마에 얽매이지 마시고, 어떤 것이라도, 괜찮습

니다. 써 주세요.』

N씨가, 이 머나먼 시골 누추한 집까지, 일부러 찾아와 주었다는 것을 생각하면,

내가 지금, 완고하게 거절하며 이 자리를 거북하게 만드는 것이, 조금 모질게 느껴

졌다. 내 마음속에는 역시 겁쟁이 아첨꾼 벌레가 있다. 결국 쓰기로 했다. 그렇지

만, 『쓸 만한 일이 없습니다. 쓰고 싶지 않습니다.』 라는 말은, 내 진심에서 나온

것이고, 거기엔, 조금도 변함이 없다. 쓸 게 없다. 어쩔 수 없으니, N씨가, 그 다

음에 해 주신, 기분 좋은 말씀을, 왜곡 없이, 그대로 다음에 적어 보겠다.

『복수 같은 거, 저는, 싫습니다. 「충신忠臣蔵 구라」도, 생각해 보면, 이상해요. 부녀자뿐인 무방비 상태의 집에, 밤도둑처럼 숨어들어, 노인네 하나를, 여럿이 달려들어 죽이는 거잖아요. 비겁하지요. 복수 따위 생각하지 않는다고 거짓말이나 하면서, 하는 짓이 야비하지 않습니까? 소가曾我 형제도, 어릴 때부터, 뭐라더라? 원수진 사람을 죽이는 일만 생각했다지요? 그걸 또, 어머니가 열심히 부추깁니다. 참 혹하지 않습니까? 18년 동안이나, 원한을 잊지 않았다니, 무서운 형제입니다. 저는, 그런 사람하고는, 도저히 가까이 지낼 수가 없습니다. 무사도武士道라는 것도, 이상해요.』

『그렇지. 그걸 씁시다.』하고 내가 말했더니, N씨는 쾌활하게 웃었다.

그러고 나서, N씨가 근래에 본 영화 줄거리나, 전쟁 이야기, 도호쿠東北 사람(N씨도, 나와 같은, 도호쿠 태생이었다.)의 장점과 단점, 청년들의 무기력함, 여성잡지의 팔림새 등에 대해서, 여러 가지 솔직하고 재미난 이야기를 해 주셨다. 이 원고 일만 아니라면, 나에게 있어 참으로 즐거운 반나절이었다.

결국 이렇게, 엉터리 원고가 나와서, N씨에게는, 송구하기 그지없다. 그렇지만, 「은수기」라고 제목을 짓고, 독자들의 수준 낮은 호기심을 만족시키기 위해, 다소 가십적인 재료를 뒤섞어 그럴듯하게 대여섯 장으로 정리해 내는 것이, 작가의 의무라고 한다면, 작가는 쇠약해질 뿐이다. 어린 나이에 얻은 헛된 명성의 해로움은, 나도, 잘 안다. 제대로 될 리가 없다. 독자도 좋지 않다. 나는 현대(1940년)의 독자를, 별로, 믿지 않는다.

이상은, 오만하여 마구 내뱉는 말이 아닙니다. 여러 가지로 생각한 후에, 하는 말입니다. 거듭, N씨에게는, 사과드립니다.

6월 19일

아무런 준비도 없이 원고지 앞에 앉았다. 이런 걸 진정한 수필이라고 하는지도 모르겠다. 오늘은, 6월 19일. 날씨 맑음. 내가 태어난 날은 메이지 明治 42년(1909년) 6월 19일이다. 난 어린 시절, 묘하게 비뚤어졌고, 내가 엄마 아빠의 친자식이 아니라고 굳게 믿었던 적이 있다. 형제 중에서 나 혼자만이, 따돌림을 당하고 있는 것 같은 생각이 들었다. 얼굴이 못나서, ──집안사람들에게 툭하면 놀림을 받고, 그래서 점점 비뚤어졌을지도 모른다. 창고에 들어가, 이런저런 문서를 뒤져 본 적이 있다. 아무것도 찾아내지 못했다. 옛날부터 우리 집에 드나드는 사람들에게, 몰래 묻고 다닌 적도 있다. 그 사람들은, 크게 웃었다. 내가 이 집에서 태어난 날의 일을, 정확하게 모두가 알고 있다. 해 질 녘이었지요. 저기, 작은방에서 태어났어요. 모기장 안에서 태어났답니다. 엄청나게 순산이었어요. 쑥 하고 나왔으니까요. 코가 큰 아기님이었어요. 여러 가지 일을, 확실히 말해 주었기에, 나도 내 의심을 버리지 않을 수 없었다. 왠지 무언가, 실망스러웠다. 나의 평범한 처지가 불만스러웠다.

일전에, 미지의 시인으로부터 편지를 받았다. 그 사람 생일도 메이지 42년 6월 19일이라는 취지였다. 이를 인연으로, 하룻밤, 마시지 않겠나, 하는 편지였다. 나는 답장을 보냈다. 『저는, 시시한 남자라서, 만나면 반드시 실망하실 겁니다. 아무래도, 무섭습니다. 메이지 42년 6월 19일생의 숙명을, 귀하도 잘 아시리라 생각합니다. 아무쪼록, 6월 19일생의, 소심함을 봐서, 용서해 주세요.』 비교적 솔직하게 썼다고 생각했다.

탐욕이 부른 화

7월 3일부터 미나미이즈(南伊豆) 어느 산촌에 와 있는데, 물론 이곳은, 심산유곡(深山幽谷)도 뭣도 아니다. 온천이 솟아날 뿐, 그것 말고는 아무것도 없다. 도쿄와 비슷한 정도로 덥다. 여관 여종업원들도, 불친절하다. 방은 지저분하고 식사는 맛없다. 왜 이런 곳을 택했느냐 하면, 숙박료가 싸겠지 하고 생각했기 때문이다. 그렇지만, 와서 보니, 그렇게 싸지도 않다. 1박에 5엔 이상이다. 하루의 예정된 공부를 마치고, 온천욕을 하고, 그리고 저녁을 먹는데, 맥주를 한 잔 마시고 싶다고 여종업원에게, 그리 말했더니,

『없습니다.』하고 딱 잘라 대답한다. 그렇지만, 여종업원의 얼굴을 보니, 거짓

말이라는 것을 알 수 있어서,

『꼭 마시고 싶은데。 딱 한 병이면 되는데……』 하고 웃으며 치근대니,

『잠깐 기다리세요。』 하고 심각한 얼굴로 말하고는, 방에서 나간다。 잠시 지나,

역시나 심각한 얼굴을 하고 방으로 와서,

『저기, 조금 가격이 비싼데, 괜찮으실까요?』 하고 말한다。

『네, 상관없어요。 두 병 주세요。』 하고, 이쪽도 빈틈이 없다。

『아뇨, 한 병만 드릴게요。』

더럽게 냉담하게 선고한다。

요즘은 여관들도, 굉장히, 비싸게 군다。 물자부족은, 나도 알고 있다。 무리한 것은 시키지 않는다。 죄송하지만, 이라든가, 조금 말투를 바꾸면, 쌍방 훨씬, 화기애애하게 갈 텐데, 어쩐지, 쓸데없이 뻣뻣하게 구는 것이다。 당연히, 손님도 과묵해진다。 너무 답답하다。 조금도, 느긋함이 없다。 나는 기숙사에서 공부하는 학

생 같다.

창밖 풍경을 바라보아도, 별반 대단할 것도 없다. 낮은 여름 산, 산중턱까지는 밭이다. 매미 소리가 시끄럽다. 해가 쨍쨍 덥다. 왜, 구태여, 이런 곳에 왔는가 하는 생각이 든다.

그러나 나는, 여기를 떠나, 다른 고장으로 갈 생각은 없다. 어딜 가든, 마찬가지라는 걸, 알기 때문이다. 내 마음이, 틀려먹어서인지도 모르겠다. 다음은 플로베르의 한탄인데, 『나는 언제나 눈앞에 있는 것을 거부하고 싶어진다. 어린아이를 보면, 그 아이가 노인이 되었을 때를 생각하고, 요람을 보면 묘비를 생각한다. 여자의 알몸을 보는 동안, 그 해골을 공상한다. 즐거운 것을 보면 슬퍼지고, 슬픈 것을 보면 아무것도 느껴지지 않는다. 너무나 마음속으로 울어서, 밖으로 눈물을 흘릴 수가 없다』는 둥 말하면, 좀 야단스럽고, 중학생의 센티멘털한 악취미를 드러내는 셈이 되어 버리지만, 내가 여행을 하면서 풍경에도 인정에도, 별로 감동을 받

은 적이 없는 것은, 그 고장의 사람들의 삶을, 곧바로, 알아채 버리기 때문일 것이

다. 모두들, 분위기 깰 정도로, 아등바등 산다. 시냇가 외딴 찻집에도, 조상 몇 대

에 걸친 암투가 있을 것이다. 찻집 결상 하나 새로 만드는 데에도, 한 집안의 남다

른 각오가 있었을 것이다. 하루 매상이, 어떻게 집안사람들에게 분배되고, 일희일

비가 되풀이될 것인가. 풍경 따위는, 문제가 아니다. 그 마을 사람들에게 있어서

는, 산에 나무 한 그루, 시냇가 돌멩이 하나가 전부 생활과 직접 이어져 있을 것이

다. 거기에는, 풍경은 없다. 일용할 양식이 보일 뿐이다.

순수하게, 풍경을 가리키며, 경탄할 수 있는 사람은 행복하다. 우리 집은 도쿄,

井の頭公園 이노카시라공원 뒤에 있는데, 일요일마다, 많은 하이킹객들이, 들뜬 마음으로, 주

변을 돌아다닌다. 이노카시라호수에서, 돌계단을, 스물몇 개 오르고, 그다음, 완

만한 오르막을 50미터 정도 올라가면, 御殿山 고텐야마. 평범한 초원이지만, 그래도, 하

이킹 복장 늠름한 남녀 등산객은, 흥분한다. 나무 둥치에 「등산기념, ○월 ○일,

아무개」하고 칼로 새겨 놓은 글자를 본 적도 있는데, 나로서는 웃을 수가 없다.

스물몇 개의 돌계단을 오르고, 완만한 오르막을 50미터 정도 올라, 천국의 환희가 있다고 한다면, 시민이란 실로 행복한 존재라고 생각한다. 악업 깊은 한 사람의 작

가만이, 어딜 가도, 무얼 봐도, 괴롭다. 점잔 떠는 게 아니다.

여기 온 지, 벌써 열흘이 다 된다. 일도 일단락되었다. 오늘쯤 집사람이 돈을 가

지고, 이 여관으로 나를 데리러 올 것이다. 집사람에게는 이따위 온천여관도, 극

락일지 모른다. 나는, 시치미 떼고 집사람에게 이 고장에 대한 감상을 물어보고 싶

다. 너무너무, 좋은 곳이네요, 하고 들떠서 말할지도 모른다.

≪이즈반도 아타가와 온천에서 잘 나온 사진≫ 1940년 7월
고야마 유시, 다자이 오사무

자기 작품에 대해 말하다

나는 여태껏, 내 작품에 대해 이야기한 적이 한 번도 없다. 싫다. 독자가, 읽고 이해하지 못하면, 거기까지다. 창작집에 서문을 붙이는 것조차, 싫다.

자기 작품을 설명한다는 것은, 이미 작가의 패배라고 생각한다. 불쾌하기 짝이 없는 일이다. 내가 A라고 하는 작품을 쓴다. 독자가 읽는다. 독자는, A를 재미없다고 한다. 싫다고 한다. 거기까지다. 아니, 재미있을 텐데, 하는 항변은 성립할 리 없다. 작가는, 더욱 비참해질 뿐이다.

싫으면, 관둬라, 이거다. 제발 모두가 알아주기를 바라며 최대한, 정성들여 썼

을 터. 그런데도, 모르겠다면, 닥치고 물러날 뿐이다.

나는 친구가, 겨우 손으로 꼽을 정도밖에 없다. 나는, 그 몇 안 되는 친구들에

게도, 내 작품에 대해 설명을 해 준 적이 없다. 발표해도, 잠자코 있다. 그 부분을

쓸 때 고생을 했습니다, 따위의 말, 한 번도 한 적이 없다. 김이 샌다. 그런, 고생

담으로 남에게 부담을 주면서까지, 의리 박수를 받을 생각은 하지도 않는다. 예술

은, 그렇게, 남에게 강요하는 것이 아니라고 생각한다.

하루에 서른 장은 아무렇지 않게 쓸 수 있는 작가도 있다고 한다. 나는 하루 다

섯 장 쓰면 훌륭하다. 묘사가 서툴러서 애를 먹는다. 어휘가 빈약해서, 펜이 굼뜨

다. 느린 손은 작가의 수치다. 한 장 쓰는데, 두세 번은, 사전을 뒤적인다. 오탈자

가, 왠지 불안하다.

자기 작품에 대해 말하라, 고 하면, 어째서 나는, 이렇게 화가 나는 것인지. 나는, 내 작품을 그다지 인정하지 않고, 또한, 다른 사람의 작품도 그다지 인정하지 않는다. 내가, 지금 생각하고 있는 것을, 그대로 솔직하게 말한다면, 사람들은, 금세 나를 미친놈 취급을 하겠지. 미친놈 취급은, 싫다. 역시 나는, 침묵하고 있어야만 한다. 조금만 더 참는 거다.

아아, 어서, 장당 3엔 이상 받는 소설만 쓰고 싶다. 이런 일로는, 작가는, 쇠약해질 뿐이다. 내가, 처음 「문예文藝」에 글을 판 후로, 벌써 7년이 된다.

인기는, 바라지도 않는다. 또, 인기가 있을 리도 없다. 인기의 허무함도 알고 있다. 1년에 한 권 창작집을 내고, 3천 부 정도만 팔려 다오. 지금까지 나온 열 권 가까운 내 창작집 중에서, 2천 5백 부 출판이 최고 기록이다.

내 작품은, 아무리 생각해도, 영화화도 극화도 될 여지가 없다. 그래서 뛰어난 작품이다, 라는 말은 아니다. 「죄와 벌」罪と罰도, 「전원교향악」田園交響楽도, 「아베일족」阿部一族도, 착착 영화화되고 있는 모양이다.

「여자의 결투」女の決鬪 영화화 같은 건, 어림도 없다.

절대로, 자기 작품에 대해 말하기는, 싫다. 자기혐오로 가득하다. 『자기 자신에 대해 말하라』고 하면, 시가 나오야志賀直哉 정도 되는 달인도, 분명 잠깐은 망설일 것이다. 잘난 자식은, 잘난 자식이라 사랑스럽고, 못난 자식은, 더더욱 애처롭고 사랑스럽다. 그 사이에 흐르는 미묘한 느낌을, 그대로 다른 사람에게 전해 주기란, 지극히 어렵다. 그것을 또, 억지로 말하라고 하는 것도 가혹하지 않은가.

나는, 내 작품과 함께 살아 있다. 나는, 언제나, 하고 싶은 말은, 작품 속에서 한다. 달리 하고픈 말은 없다. 그래서, 그 작품이 거부당하면, 그걸로 끝이다. 한마디도 하고 싶지 않다.

나는, 내 작품을, 칭찬해 준 사람 앞에서는 극도로 왜소해진다. 그 사람을, 속이고 있는 듯한 기분이 들기 때문이다. 반대로, 내 작품에, 욕설을 내뱉는 사람을, 예외없이 경멸한다. 뭐라 씨불이는 거냐, 하고 생각한다.

이번에 가와데쇼보에서, 최근작만을 모은 「여자의 결투」라는 소설집이 출판되었다. 여자의 결투는, 이 잡지(문장<ruby>文章</ruby>)에 반년 동안, 연재되어, 쓸데없이 독자를 지

河出書房

루하게 만든 모양이다. 이번에, 합쳐서 한 권으로 만든 것을 계기로, 감상을 쓰시되, 그 밖의 다른 작품들도, 언급하면서 써 주시면 되겠습니다, 하는 게 편집자, 쓰지모리 辻森 씨의 지시다. 쓰지모리 씨에게는, 지금까지, 줄곧 제멋대로 굴어 왔다.

거절할 수가 없었다.

내게는, 새삼스럽게, 아무런 감상이 없다. 요즘은, 다음 작품 집필에 정신이 없다. 친구, 야마기시 가이시 山岸外史 군에게 편지를 받았다. (「달려라 메로스」走れメロス 그 의리, 신에게 당을 듯하고, 「유다의 고백」駈込み訴え 그 애욕, 흙으로 돌아갈 듯하다.)

가메이 가쓰이치로 군에게도 편지를 받았다. (「달려라 메로스」 재독, 삼독. 심 亀井勝一郎

히 좋다. 걸작이다.)

친구는, 고마운 존재다. 한 권의 소설집 속에서, 작가의 의도를, 정확히 77집어

내준다. 야마기시 군도, 가메이 군도, 건성으로 둘러대는 경박한 인물이 아니다.

이 두 사람이, 알아준다면, 이미 그걸로 충분하다.

자기 작품에 대해 말한다는 건, 위대한 노작가가 되고 나서 할 일이다.

희미한 목소리

믿는 수밖에 없다고 생각한다. 나는, 우직하게 믿는다. 로맨티시즘으로, 꿈이 가진 힘으로, 난관을 돌파하고자 마음먹고 있을 때, 관둬, 관둬, 허리띠가 풀렸잖아 등등 못된 충고는, 하는 게 아니다. 신뢰하고, 따라가는 것이 가장 올바르다. 운명을 함께하는 것이다. 한 가정에 있어서도, 또 친구와 친구와의 사이에 있어서도, 같은 말을 할 수 있을 것이다.

믿는 능력이 없는 국민은, 패배한다고 생각한다. 말없이 믿고, 말없이 생활을 영위해 나가는 것이 가장 올바르다. 남의 일을 이러쿵저러쿵 입에 올리기보다, 자기 처지에 대해 생각해 보는 게 좋다. 나는, 이 기회에, 더욱 깊이 자신을 연구해 보고 싶다. 절호의 기회다.

믿어서 패배하는 거라면, 후회는 없다. 오히려 영원한 승리다. 그렇기에 사람들

이 비웃어도 치욕이라 생각하지 않는다. 그렇지만, 아아, 믿어서 성공하고 싶구

나. 그 환희!

말이야.

속는 사람보다도, 속이는 사람 쪽이, 수십 배 괴롭다구. 지옥에 떨어질 테니까

불평하지 마. 말없이 믿고, 따라가. 오아시스가 있다는, 사람들의 말. 낭만을

믿게나. 『共榮 공영』을 지지하라. 믿어야 한다, 다른 길은 없다.

안이함을 경멸하는 것만큼 쉬운 일은 없다. 그리고 사람은, 의외로, 안이함 속에 서 살고 있다. 타인의 안이함을 비웃으면서, 자신의 안이함은 미덕처럼 생각하고 싶어 한다.

『외로움을 견디는 것입니다.』

『삶이란 무엇입니까?』

자기변명은, 패배의 전조 증상이다. 아니, 이미 패배한 모습이다.

『패배란 무엇입니까?』

『악에게 아양 떨며 웃는 것입니다.』

『악이란 무엇입니까?』

『무의식적인 구타입니다. 의식적인 구타는, 악이 아닙니다.』

논쟁이란, 때때로 타협하고 싶은 정열이다.

『자신 있다는 것은 무엇입니까?』

『앞날의 불빛을 봤을 때 마음의 모습입니다.』

『현재의?』

『그건 쓸모가 없습니다. 바보입니다.』

『당신은 자신이 있습니까?』

『있습니다.』

『예술이란 무엇입니까?』

『제비꽃입니다.』

『시시하군.』

『시시합니다.』

『예술가란 무엇입니까?』

『돼지코입니다.』

『그건, 너무하군.』

『코는, 제비꽃 향기를 알고 있습니다.』

『오늘은, 좀 기세가 오르신 것 같네요.』

『그렇습니다. 예술은, 그때그때의 기세로 할 수 있습니다.』

五所川原 고쇼가와라

이모가 고쇼가와라에 계서서、 어릴 적 종종 고쇼가와라에 놀러 갔습니다。 아사 旭座

허자 개장 공연도 보러 갔습니다。 소학교 3、 4학년 즈음이었던 것 같습니다。 분

명히 友右衛門 도모에 몬이었을 겁니다。 梅の由兵衛 우메노 요시베 때문에 울었습니다。 회전무대를、 그

때、 난생처음 보고、 나도 모르게 자리에서 벌떡 일어났을 정도로 놀랐습니다。 이

아사히자는、 그 후 얼마 안 가 화재가 나서、 전소되었습니다。 그때의 불길이、 가나 金木

기에서、 똑똑히 보였습니다。 영사실에서 불이 났다는 소문이었습니다。 그리고、 영

화 구경을 하던 소학교 학생이 열 명 정도 불에 타 죽었습니다。 영사 기사가 죄를

추궁당했습니다。 과실상해치사라나 뭐라나 하는 죄명이었습니다。 어린 나이에도、

어찌된 이유인지, 그 기사의 죄명과 운명은 잊을 수가 없었습니다. 아사히자라는

이름이 「불 火」 자와 연관이 있어서 불이 난 것이라는 이야기도 들었습니다. 20년

도 전 일입니다.

일곱 살인가 여덟 살 때쯤, 고쇼가와라 번화가를 걷다가, 시궁창에 빠졌습니다.

꽤 깊어서, 물이 턱밑까지 찼습니다. 모르긴 해도 석 자 가까이 되었을 겁니다. 밤

이었습니다. 위에서 아저씨가 손을 내밀어 주어서 거기에 매달렸습니다. 끌려 올

라와 여러 사람이 둘러싸고 지켜보는 가운데 발가벗겨져서, 정말 난감했습니다.

마침 헌옷 가게 앞이라, 그 가게의 헌옷을 재빨리 입었습니다. 여자아이 유카타였

습니다. 허리띠도, 어린이용 녹색 허리띠였습니다. 너무나 창피했습니다. 이모가

아연실색해서 뛰어왔습니다.

나는 이모에게 귀여움을 받으며 자랐습니다. 나는, 남자다운 성격이 아니라서,

이래저래 다른 사람들에게 놀림을 받아, 혼자 비뚤어져 있었지만, 이모만은, 나

를, 멋진 남자라고 말해 주었습니다. 다른 사람이, 나의 외모에 대해 험담을 하면,

이모는, 진심으로 화를 냈습니다. 전부 흐릿한 추억이 되었습니다.

≪중학교 시절 신세를진 도요타 앞지≫ 1924년경
쓰시마 레이지(동생), 도요타 부인
도요타 다자에몬, 그 아들, 다자이 오사무

아오모리 靑森

아오모리에는, 4년 있었습니다. 아오모리 중학교에 다녔습니다. 친척 도요타 豊田 씨 댁에서, 쭉 신세를 졌습니다. 데라마치 寺町 에서 포목점을 하는, 도요타 씨입니다.

돌아가신 도요타 「압지」는, 나에 대한 일이라면 있는 힘을 다해 도와주셨고, 여러 가지로 격려해 주셨습니다. 나도 「압지」에게, 꽤나 어리광을 부렸습니다.

「압지」는, 좋은 분이셨습니다. 내가 바보 같은 짓만 저지르고, 진혀 훌륭한 일을 못하는 중에 돌아가셔서, 애석할 뿐입니다. 5년, 10년만 더 살아 주셨다면, 내가 조금이라도 훌륭한 일을 해서, 「압지」를 기쁘게 해 드렸다면 좋았을 텐데, 하는 그 생각만 듭니다. 지금 생각하면 「압지」의 고마움만 기억에 남아, 안타까워

견딜 수가 없습니다. 내가 중학교에서 조금이라도 좋은 성적을 받으면, 「압지」는,

세상 그 누구보다도 기뻐해 주셨습니다.

중학교 이 학년 무렵, 데라마치의 작은 꽃집에 서양화가 대여섯 점 걸려 있었는

데, 내 어린 마음에도, 그 그림에 약간 감탄했습니다. 그중에 한 점을, 2엔에 샀

습니다. 이 그림은 언젠간 틀림없이 비싸질 겁니다, 하고 건방진 말을 하면서, 도

요타 「압지」에게 드렸습니다. 「압지」는 웃으셨습니다. 그 그림은, 지금도 도요타

씨 댁에, 걸려 있으리라 생각합니다. 지금은 백 엔이라도 어림없겠지요. 무나카타 棟方志功

시코 씨의 초기 걸작이었습니다.

무나카타 시코 씨의 모습은, 도쿄에서 가끔, 눈에 띄지만, 너무나 씩씩하게 걷고

있어서, 나는 늘 모른 체를 하고 있습니다. 그렇지만, 그 당시의 시코 씨 그림은,

너무너무 좋았다고 생각합니다. 벌써, 20년 가까운 옛날이야기가 되었습니다. 도

요타 씨 댁의, 그 그림이, 더, 엄청, 비싸졌으면 좋겠습니다.

외모

내 얼굴은, 요즘 들어 어쩐, 더 커진 것 같다. 원래부터, 작은 얼굴은 아니었지만, 요즘 들어 어째 더 커졌다. 미남이란, 얼굴이 작고 말쑥하게 정리되어 있는 것을 말한다. 얼굴이 아주 큰 미남은, 별로 없을 것 같다. 상상도, 하기 어렵다. 얼굴이 큰 사람은, 모든 걸 순순히 포기하고, 「훌륭」 혹은 「장엄」이라는 말을 마음에 두는 것 말고 방법이 없는 듯하다. 하마구치 오사치 씨는, 얼굴이 아주 큰 사람이었다. 역시나 미남은 아니다. 하지만, 장관이었다. 장엄하기까지 했다. 외모에 대해서는, 몰래 수양을 했을 수도 있을 거란 생각도 든다. 나도, 이렇게 되면, 하마구치 씨처럼 될 수 있도록 수양하는 것 외에 별 수 없다고 생각하

濱口雄幸

고 있다.

얼굴이 커지면, 어지간히 조심하지 않으면, 남들에게 거만하다고 오해를 산다.

시건방진 상판대기를 하고, 도대체, 날 뭘로 보는 거야, 라는 둥, 뜻하지 않은 공격을 받는 일도 있다. 일전에, 나는 신주쿠(新宿) 어느 가게에 들어가, 혼자 맥주를 마시고 있었는데, 여자아이가 부르지도 않았는데 곁에 다가와서는, 『당신은, 다락방 철학자 같군. 엄청 잘난 척하고 있는데, 여자들한테는, 인기 없지? 꼴같잖게 예술가 흉내 내도, 안 통해. 꿈 깨셔. 노래하지 않는 시인인가? 그래! 그렇군! 잘났네, 잘났어. 이런 데 오려면 있지, 우선 치과나 한 달 다닌 다음에 오라구.』 하고 지독한 말을 해 댔다. 내 이는, 너덜너덜 빠져 있다. 나는 대답할 말이 궁해져서, 계산을 부탁했다. 그리고 아닌 게 아니라, 그 후로 대엿새, 밖에 나가고 싶지가 않았다. 조용히 집에서 책을 읽었다.

코가 빨개지지 않으면 좋으련만, 하는 생각도 했다.

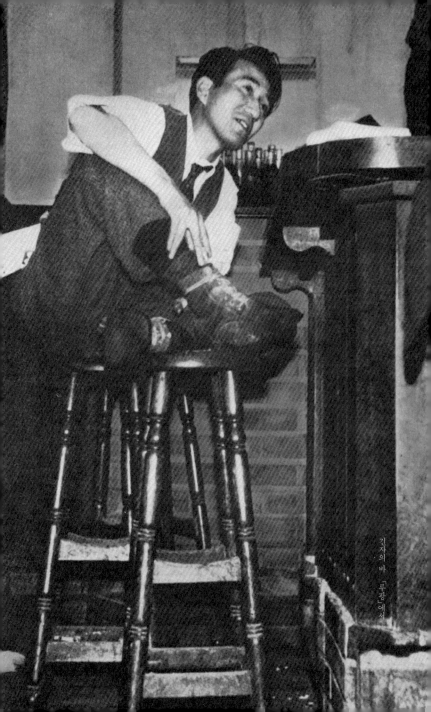

「만년」과 「여학생女生徒」晚年

「만년」도 품절이 된 것 같고, 「여학생」도 마찬가지로, 다 팔린 것 같다. 「만년」은 초판이 5백 부 정도이고, 그 후로 또 천 부 정도 찍었을 것이다. 「여학생」은 초판이 2천 부인데, 그것이 2년 지나, 겨우 다 팔려서, 올해 초여름에는 다시 천 부, 증쇄하기로 했다. 「만년」은, 쇼와昭和 11년(1936년) 6월에 나왔으므로, 그 후로 5년 동안, 천 5백 권 팔린 셈이다. 1년에, 3백 권씩 팔렸다고 할 수 있는데, 그러면, 거의 하루에 한 권씩 팔렸다고 해도 될 것 같다. 5년에 천 5백 부라고 하면, 한 달에 10만 부나 팔리는 인기 소설에 비해, 너무나도 초라하고 빈약한 느낌이 들지만, 하루에 한 권씩 팔렸다고 하면, 썩 나쁘지만은 않다. 「만년」은 이번에 마나고야쇼보(砂子屋書房)에서 사륙판으로 개정하여 낸다고 하는데, 어서 나왔으면 좋겠다. 품절된 채로, 2년 3년 경과하면, 하루 한 권씩 팔렸다는 내 자부심도 무너져 버린다. 가령, 품절 상태로 10년 더 경과하면, 「만년」은, 쇼와 11년부터 15년 동안, 고작 천 5백 부밖에 팔리지 않았다는 말이 된다. 그러면, 1년에 백 부씩 팔린 게 되고, 내 책은, 사흘에 한 권이나 나흘에 한 권밖에 팔리지 않는 셈이다. 많이 팔린다는 것이, 꼭 최고의 명예도 아니지만, 그러나, 전혀 팔리지 않는 것보다는, 조금이라도 팔리는 편이 보람 있고 좋은 것 같다. 그렇지만, 문학서는 만 부 이상 팔리면, 불안한 느낌이 든다. 작가에게, 위험하다. 선배 야마기시 가이시(山岸外史) 씨의 말에 따르면, 돈이 잔뜩 든 지갑을, 품에 넣고 다니면, 위장이 차가워져 병에 걸린다고 한다. 그것은 동전만 넣고 다녀서 그런 것 아니냐고 반문했더니, 아니 지폐도 마찬가지다, 그 종이는, 매우 차가워서, 그걸 품에 넣고 다니면 필시 위장을 망가트리니까, 조심하게나, 하고 진지하게 충고해 주었다. 부를 탐하지 않도록 주의해야 한다.

≪딸이 태어났다≫ 1941년 6월
다자이 오사무
쓰시마 소노코,

내가 쓴 책들

첫 소설집은 「만년」^{晩年}이었습니다. 쇼와 11년(1936년)에, 마나고야 쇼보^{砂子屋書房}에서 나왔습니다. 초판은, 5백 부 정도였을까요. 정확히는 기억나지 않습니다. 그다음이 「허구의 방황」^{虚構の彷徨}으로 신쵸샤^{新潮社}. 그리고, 한가소분코의 「20세기 기수」^{二十世紀旗手}^{版画荘文庫}인데, 이건 절판된 것 같습니다.

잠시 쉬었는데, 재작년쯤부터 많아졌습니다. 종이의 질도, 나빠졌습니다. 재작년에는, 다케무라 쇼보^{竹村書房}에서 「사랑과 아름다움에 대하여」^{愛と美について}, 마나고야 쇼보에서 「여학생」^{女生徒}, 「여학생」은, 올해 5월에 재판을 찍었습니다.

작년에는, 다케무라 쇼보에서 「피부와 마음」^{皮膚と心}, 교토의^{京都} 진분쇼인^{人文書院}에서 「추억」^{思い出},

내가 쓴 책들

첫 소설집은 「만년」(晩年)이었습니다. 쇼와 11년(1936년)에, 마나고야 쇼보(砂子屋書房)에서 나왔습니다. 초판은, 5백 부 정도였을까요. 정확히는 기억나지 않습니다. 그다음이 「허구의 방황」(虚構の彷徨)으로 신쵸샤(新潮社). 그리고, 한가소분코의 「20세기 기수」(二十世紀旗手)(版画荘文庫)인데, 이건 절판된 것 같습니다.

잠시 쉬었는데, 재작년쯤부터 많아졌습니다. 종이의 질도, 나빠졌습니다. 재작년에는, 다케무라 쇼보(竹村書房)에서 「사랑과 아름다움에 대하여」(愛と美について), 마나고야 쇼보에서 「여학생」(女生徒), 「여학생」은, 올해 5월에 재판을 찍었습니다.

작년에는, 다케무라 쇼보에서 「피부와 마음」(皮膚と心), 교토의(京都) 진분쇼인(人文書院)에서 「추억」(思い出),

가와데쇼보에서 「여자의 결투 女の決闘」가 나왔습니다. 河出書房

올해는, 실업일본사에서 「동경팔경」이 나왔습니다. 이틀 사흘 내로, 문예춘추사 実業之日本社 東京八景

에서 「신햄릿」이 나옵니다. 그리고, 곧 또 마나고야쇼보에서 「만년」의 신판이 나 新ハムレット

온다고 합니다. 이어서 치쿠마쇼보에서 「치요죠」가, 다카나시쇼텐에서 「신천옹」 筑摩書房 千代女 高梨書店 信天翁

이 나올 예정입니다. 「신천옹」에는, 주로 수필을 실었습니다. 7월까지는, 모두

나오겠지요.

조금 쉬고 싶습니다. 저는 올해 서른셋입니다. 딸아이가 하나 있습니다.

사적인 편지

이모님. 오늘 아침에, 긴 편지를 받았습니다. 제 건강 상태며, 또한, 앞으로의 삶에 대해, 여러모로 심려해 주셔서 감사합니다. 하지만, 저는 요즘, 제 앞으로의 삶에 대해서, 일절 계획하지 않기로 했습니다. 허무가 아닙니다. 포기도, 아닙니다. 서투른 예측 따위를 하고, 오른쪽을 택해야 하는지 왼쪽을 택해야 하는지, 저울에 달아 가면서 신중하게 재고만 있다가, 오히려 비참한 실패를 하는 법입니다.

내일 일을 생각하지 말라, 고 그분도 말씀하셨습니다. 아침에 눈을 뜨고, 오늘 하루를, 충실히 사는 것, 그 하나만을 저는 요즘 유념하고 있습니다. 저는, 거짓말을 하지 않게 되었습니다. 허영과 타산이 아닌 공부를, 조금씩 할 수 있게 되었습니다. 내일에 기대어, 그 상황을 얼버무리는 일도 지금은, 하지 않습니다. 하루하루가, 너무 소중해졌습니다. 결코 허무가, 아닙니다.

지금 저에게 있어, 하루하루의 노력은, 일평생의 노력입니다. 전쟁터에 있는 사람들도, 아마 같은 심정이라고 생각합니다. 이모님도, 이제부터는 사재기 같은 건, 그만두세요. 의심하다 실패하는 것만큼 추한 삶은, 없습니다. 우리들은, 믿습니다. 한 치 벌레한테도, 다섯 푼 진심이 있습니다. 억지로 웃어서는, 안 됩니다. 순수한 마음으로 믿는 자만이, 근심이 없습니다. 저는 문학을 포기하지 않을 겁니다. 저는 믿어서 성공할 겁니다. 부디 안심하시길.

어떤 충고

『그 작가의 일상생활이, 그대로 작품에 나타납니다. 속이려 해도, 그럴 수 없습니다. 생활을 넘어서는 작품은 쓸 수 없습니다. 축 늘어져 살면서, 좋은 작품을 쓰고자 해도, 그건 무리입니다. 겨우겨우 「문인」 패거리에 들어간 게, 그렇게 기쁜가? 종장두건 뒤집어쓰고 「도대체가 요즘 것들은 기본 문법부터가 엉망이라」기가 막힌다.」 운운 하는 말, 토 나올 것 같군. 간신히 「선생님」이라 불리게 된 것이, 그렇게 기쁜가? 하긴 점쟁이도, 선생님이라고 하지. 간신히 세상으로부터 유명인사 취급을 받고, 영화 시사회며 스모 경기 초대를 받는 것이, 그렇게나 기쁜가? 소설을 쓰지 않아도 유명인사 취급을 받을 길이 있었을 텐데. 특히 돈은, 달

리벌 수단이, 얼마든지 있었을 텐데. 입신출세? 소설을 쓰기 시작했을 때, 그 비

장했던 각오는, 어떻게 되었나. 쩨쩨하구만. 엄청 거드름 피우고 있잖아. 그래도

뭔가, 썼다고 생각하는 거야? 요즘 평판을 듣자니, 네 녀석 심경이 정말 말개졌다

더군. 하하하. 가정의 행복? 처자식이 딸린 건 너뿐만이 아니야. 낯짝도 두꺼워.

요즘 부쩍 때깔도 좋아졌잖아? 「만엽집(万葉集)」을 읽고 계시다고. 독자를, 너무, 후리지

말게나. 우쭐해서, 너무 사람을 우습게 보면, 모두 까발려 줄 거야. 내가 모른다고

생각하나? 책임이 무겁다구. 모르겠나? 하루하루, 책임이 무거워지고 있다구.

더, 진지하게 괴로워하자구. 성실하게 살아갈 노력을 하자구. 내일을 살아갈 계획

보다는, 오늘의 나를 잊는 열정이 중요하다구. 전쟁터로 간 사람들을 생각해 봐.

정직은 어느 시대에나, 미덕이라고 생각해. 얼버무리려 해 봤자, 소용없어. 내일

의 훌륭한 각오보다, 오늘의, 하찮은 헌신이, 지금 필요하다구. 너희들 책임이 무

겁다구.』

하고 한 시인이, 우리 집에 찾아와 나에게 말했습니다. 그 사람은, 술에 취하지 않았습니다.

≪미타카 자택 마당에서 딸을 안고≫
다자이 오사무, 쓰시마 소노코

일문일답

『뭔가, 최근의, 감상을 말씀해 주세요.』

『난처했습니다.』

『난처했습니다, 로 끝나면 제가 난처합니다. 뭔가, 말씀해 주세요.』

『인간은, 정직해야 한다, 고 최근 뼈저리게 느낍니다. 바보 같은 감상이지만, 난처했습니다, 로 끝나면 제가 난처합니다. 뭔가, 말씀해 주세요.』

어제도 길을 걸으면서, 절실하게 느꼈습니다. 속이려고 하니까, 사는 게 어렵고, 복잡해지는 겁니다. 정직하게 말하고, 정직하게 나아가면, 삶은 정말 단순해지지요. 실패할 일이 없습니다. 실패라고 하는 건, 속이려고 하다가, 끝내 속이지 못한 경우를 말하는 거니까요. 그리고, 무욕^{無欲}이라는 것도 중요합니다. 지나치게 욕심을 부리면, 아무래도, 좀, 속이고 싶어지고, 속이려고 하면, 이래저래, 일이 복잡해지고, 결국 정체가 탄로 나서, 말도 안 되는 꼴을 당하게 됩니다. 뻔한 감상이지만, 하지만, 이만큼 겪어 보고 깨닫는데, 34년 걸렸습니다.』

『신인 때 작품을, 지금 다시 읽으면, 어떤 기분이 드십니까?』

『옛날 앨범을, 펼쳐 보는 기분입니다. 사람은 변하지 않았지만, 복장은 변했지요. 그 복장을, 흐뭇한 기분으로 바라볼 때도 있습니다.』

『뭔가, 주의(主義), 라고 할 만한 게, 있으신가요?』

『사는 데 있어서, 늘, 사랑이라는 걸 생각하는데, 그건 나만 그런 건 아니고, 누구나 그렇겠지요. 하지만, 사랑은, 어렵습니다. 사랑이라고 하면, 남녀 간의 아기자기한 애정을 떠올리시겠지만, 어렵습니다. 사랑한다는 게, 어떤 것인지, 저는 아직, 모릅니다. 좀처럼 쓰기 힘든 말 같습니다. 내 딴에는, 무척 애정이 깊은 사람이라고 생각하지만, 사실 완전히, 그 반대일 수도 있는 거니까요. 아무튼, 어렵

구요. 아까 말씀드린 정직이라는 것도, 조금 관계가 있는 것 같습니다. 사랑과 정

직. 알 듯, 말 듯한데, 하여간에, 저는, 아직 모르는 게 많습니다. 정직은 현실의

문제, 사랑은, 이상의 문제, 뭐, 그런 부분에 저의 주의主義, 라고 할 만한 것이 숨어

있을지도 모르지만, 저는, 아직, 잘은 모릅니다.』

『작가님은, 크리스천입니까?』

『교회에는 다니지 않지만 성경은 읽습니다. 전 세계에서, 일본인만큼 크리스트

교를 바르게 이해할 수 있는 인종은 드물지 않을까 합니다. 크리스트교의 경우에

도, 일본은, 앞으로 세계의 중심이 되지 않을까 하고 생각합니다. 요즘 서양인의

크리스트교는 정말로, 엉터리입니다.』

『슬슬 전람회의 계절이 오고 있습니다만, 뭔가, 보셨는지요.』

『아직 어느 전람회에도 가 보지 않았지만, 요즘, 그림을 즐기면서 그리는 사람

이 정말로 드뭅니다. 조금도, 즐거움이 없습니다. 생명력이 빈약합니다. 엄청, 재

수 없는 말만 해 댔네요, 죄송합니다.」

무제

大井広介

오오이 히로스케라는 작자는 정말이지 속을 알 수가 없는 녀석이다. 이 글을 쓰면서도 부아가 치밀어 올라 참을 수가 없다. 열아홉 자 스물넉 줄. 다시 말해 정확히 사백쉰여섯 자로 맞아떨어지는 글을 하나 써 보란다. 참으로 시건방진 발상이라 아니할 수 없다. 나는 오오이 히로스케하고는 어울린 적도 그다지 없고 이날 이때까지 우리 둘 사이에 별다른 억하심정도 없었을 텐데, 어쩌된 영문인지 이런 억지를 부린다. 참으로 난처하다. 오오이 히로스케 씨, 나는 촌스러운 사람이라구. 사람 잘못 본 듯하네만. 정확히 사백쉰여섯 자로 맞아떨어지는 글이라니, 나는 그런 세련된 일을 할 수 있는 사람이 아니라네. 도저히 못 쓰겠다며 거절했더니, 이거 난처하군. 내 체면을 찌그러트리는구만, 하고 나온다. 찌그러진다, 가 아니라 찌그러트린다, 고 하는 것도 이상하다. 이래서는 내가 오오이 히로스케의 체면을 발로 밟아 찌그러트리는 셈이 된다. 생각하는 방식부터가 벌써 평범한 사람하고는 다르다. 정말로 이해할 수 없는 인간이다. 나는 도대체 무슨 업보가 있기에 정확히 사백쉰여섯 자로 맞아떨어지는 글을 써야만 하는가. 원고지를 서른 장이나 찢어버렸다. 원고료 육십 엔을 청구하겠어. 병신새끼. 지금 지불할 수 없다면 외상으로 달아 두마.

다자이 오사무

문학잡지 편집자 오오이 히로스케가 기획한 456자 시리즈로, 문장부호를 합쳐 456자를 썼으나, 편집 과정에서 쉼표가 하나 빠져 455자로 게재되었다. 한글로 번역할 때는 공백과 문장부호를 제외하고 456자로 편집하였다.

작은 초상화

항상 나를 보러 놀러오는 사람이, 나도 모르는 사이에, 나를 비평하는 듯한 글을 쓴 것을, 우연히 잡지 또는 신문에서 발견했을 때는, 정말이지, 뜻밖이라는 기분이 들게 된다. 그 글의, 당부당에 관계없이, 왠지 서먹서먹한, 배신 비슷한 느낌조차 드는 건, 나쁜일까? 이번에 가이조샤로부터, 이부세 씨의 작품집이 출판된다고 하는데, 그에 대해서 뭔가 쓰라고, 가이조샤의 M군이 말을 꺼내, 나는, 매우 난감했다. 우리 집은, 도쿄 미타카의, 꽤나 찾기 어려운, 말하자면 오지에 있어서, 일부러 여기 집까지 찾아오는 것은, 어지간히 힘든 일이라 생각된다. 사실, M군은, 대단한 고생을 하여 우리 집을 찾아내어, 땀을 훔치며, 『뭔가 하나, 이부세

≪이부세 마스지 자택에서 환히 웃는 다자이≫ 1942년 1월
다자이 오사무

씨에 대해서…… 』 하고 말하는 것이다. 나는 송구하기도 하고, 한편으로는 궁하기

도 했다. 나는 지금까지, 이부세 씨에게는, 큰 신세를 져 왔다. 새삼스럽게, 이부

세 씨에 대해서, 쓰기가 힘든 것이다. 전에도 한 번, 이부세 씨에 대해서 썼는데,

그때, 이부세 씨에게 『이제 쓰지 마.』 하는 말을 들어서, 나도 『앞으로 쓰지 않겠

습니다.』 하고 약속한 적이 있다. 아무래도, 쓰기 힘들다. 그렇지만 M 군은, 먼 길

일부러 찾아와, 나에게 쓰라고 한다. 나는 마음이 약한 남자 같다. 끝까지 거절하

지 못했다. M 군의 활달한 인덕도, 나로 하여금 거절할 수 없게 만든 한 원인인 듯

하다. 아무튼 나는, 수락했다. 쓸 수밖에 없겠지. 이부세 씨, 부디 용서해 주세요.

무엇을 써야 할까? 십수 년 전, 나는 도쿄로 올라와서, 곧장 이부세 씨 댁으로

찾아갔다. 그때, 이부세 씨는 야위고, 무서운 얼굴을 하고 있었다. 눈이, 아주 컸

다. 점점 살이 쪘다. 그래도, 그, 무서움은, 밑바탕에 있다.

이렇게 쓰고는 있지만, 나는, 내 글이 어설퍼서, 엉터리여서, 내 딴에도, 너더

리가 난다. 고작 석 장인지 녁 장인지 글로, 이부세 씨를 묘사하는 일, 서투른 내

게 가능할 리가 없다.

『요즘 나는, 사람을 너무 막다른 곳에 몰아세우지 않으려고 하네. 도망칠 구멍

을 하나, 만들어 주지 않으면—』 하고, 앞서 말한, 그 눈을 껌벅거리면서, 말씀하

신 적이 있다. 요즘, 이부세 씨는, 남의 아픈 곳을 그다지 건드리지 않으려 하시는

것 같다. 그 사람에 대해 너무 잘 알게 되어서, 오히려, 건드리지 않으려는 것인지

도 모른다. 그런 이부세 씨를 보고, 이부세 씨를 물러 터졌구만, 하고 얕봤다간,

후회할 일이 생길지도 모른다.

하여간 이번에는, 이 정도로 하고, 용서를 바란다. 참 쓰기 힘들다. 어설픈 글이

었다. 조만간, 또 봅시다.

무더운 날 시시한 이야기

덥네요. 올해는 특히 더운 거 같아요. 진짜 덥네. 이렇게 더운데, 일부러 이런 촌구석까지 와 주셔서, 정말 송구하게 생각하지만, 그런데, 저한테는 무엇 하나 화젯거리가 없어요. 겉옷 좀 벗으세요. 부디. 이리 더운데 밖을 나다니는 건 힘이 듭니다. 양산을 받치고 걸으면, 조금 나을지도 모르지만, 남자가 양산을 받치고 걷고 있는 모습은, 그다지 좋아 보이지 않네요.

진짜로 아무것도 화젯거리가 없어서 큰일입니다. 그림 이야기? 그것도 곤란합니다. 예전에는 저도, 아주 그림을 좋아해서, 화가 친구도 많이 있었고, 그 화가들 작품을, 사소한 부분부터 헐뜯으며 우쭐거린 적도 있었는데, 작년 가을에, 혼자 몰래 그림을 그려 보고, 그 어설픔에 내가 생각해도 어이가 없어 그 후로는, 그림 이야기는 한 마디도 하지 않기로 했습니다. 요즘은, 친구들 작품에도, 그저 감탄하기로 마음먹고 있습니다.

이건, 그림 이야기는 아니지만, 일전에, 신바시新橋 엔부쬬演舞場에 분라쿠를 보러 갔습니다. 분라쿠는 학창 시절에 한 번 본 것을 끝으로, 거의 10년 만이었기 때문에, 그 유명한 에이조紫三, 분고로文五郎들이, 10년 사이에, 놀랄 만한 재주 위에 원숙함을 더했을 거라 크게 기대하고 외출을 했는데, 가서 보니까 조금도 다르지 않았습니다. 10년 전과, 그냥 그대로 똑같았습니다. 나의 기대는, 빗나갔지만, 하지만, 나는 생각을 고쳤습니다. 그 변하지 않았다는 한 가지야말로, 참으로 감탄, 감격해 마지않을 일이 아닌가. 진보하지 않았다, 라고 하면 나쁘게 들리지만, 퇴보하지 않았다고 달리 말하면 어떨까. 퇴보하지 않는다는 건, 그건 대단한 일입니다.

수련이란, 천재에 이르는 방법이 아니라, 젊었을 때 타고난 재능을, 오래도록 유지하기 위해서, 필요한 것입니다. 퇴보하지 않는다, 이건 상당한 노력입니다. 어느 정도의 높이를, 언제까지나 변하지 않고 계속 유지하는 예술가는 대단한 사람입니다. 대부분의 사람은 나이와 함께 퇴보합니다. 나이를 먹으면 저절로 예술이 무르익는다? 그런 건 거짓말이지요. 남보다 갑절이나 수련을 하지 않으면, 어떤 천재라도 땅에 떨어지고 맙니다. 한번 떨어지면, 그걸로 끝입니다.

변하지 않는다는 것, 그것만으로도, 예삿일이 아닙니다. 더군다나, 재주에 있어서 진보라든가, 크나큰 비약이라는 건, 거의 창작자 자신은 생각할 수 없을 정도로 대단한 것으로, 그야말로 하늘의 뜻을 기다리는 것 말고 달리 방도가 없습니다. 종이 한 장의 사소한 진보라 해도, 어째서? 왜? 자기는 끊임없이 궁리하며 나아가고 있다고 여기지만, 주위에서는 대체로, 현상유지 정도로밖에 보지 않는 법이니까요. 창작 경험도 뭣도 없는 구경꾼들이, 도무지 저 작가는 발전이 없다, 10년이 하루 같구만, 하고 건방진 말을 하지만, 그 10년이 하루 같음이, 얼마나 많은 수련

에 의해 유지되고 있는지 전혀 모르는 것입니다. 권위 있는 비평을 하려고 생각한

다면, 우선, 직접 어느 정도까지 창작의 노고를 겪어 봐야 하겠습니다.

정말 덥군요. 이런 더운 날에는 차라리 솜옷이라도 입어 보면, 어떨지. 외려 시

원할지도 모릅니다. 여하튼 덥네요.

금주의 다짐

禁酒

나는 술을 끊으려 한다. 오늘날의 술은, 너무나도 사람을 비굴하게 만드는 것 같다. 옛날에는, 술로써 소위 말하는 호연지기를 키웠다고 하나, 지금은, 그저 정신을 천박하게 만들 뿐이다. 근래 들어 나는 술을 극도로 증오하고 있다. 만약 될성부른 인물이라면 이 기회에 단호히 술잔을 박살내야 한다.

평소 술을 즐기는 자, 얼마나 그 정신, 인색하고 치사한지, 한 됫박 배급주 술병에 열다섯 등분 눈금을 매기고, 매일, 딱 한 눈금씩 마시면서, 어쩌다 도를 넘어 두 눈금 마셨을 때는, 그때는 한 눈금만큼 물을 보충하고, 병을 모로 뉘어 껴안고 진동을 가해, 술과 물, 두 물질의 화합발효를 시도하는 등, 참으로 실소를 금할 수

없다。또한 배급되는 세 홉짜리 소주에、주전자 가득 엽차를 타서、그 갈색 액체를

작은 양주잔에 따라 마시는데、이 위스키에는 찻줄기가 서 있다、기분 좋다、라는

둥、허영스러운 억지를 부리면서、호방하게 웃어 보지만、곁에 앉은 마누라는 웃

지를 않으니、더욱더 비참한 풍경이 연출된다。또한 옛날에는、저녁 반주가 한창일

때 불쑥 멀리서 찾아온 친구라도 보면、이야、딱 맞춰 왔구만、마침 술상대가 있었

으면 하던 참인데、차린 건 없지만、자 어떤가、한잔、이라는 식이 되어、갑자기

활기가 돌곤 했으나、지금은、심히 음침하다。

『여보、그럼、이제 슬슬、그 한 눈금을 시작할 거니까、현관 닫고、자물쇠 채

우고、그리고 덧창도 전부 닫아 버려。남들이 보고 샘내는 것도 모양새가 안 좋잖

아。』뭐 한 눈금짜리 저녁 반주를、부러워할 사람도 없겠지만、역시나 그 정신、매

우 인색하고 치사해져、그야말로 風聲鶴唳 풍성학려에도 깜짝 놀라고、바깥 발자국 소리에

도 일일이 간담이 서늘해지고、어쩐지 자기가 대역죄라도 저지르고 있는 듯한 심

정이 되어, 세상사람 너나없이 자기를 저주하고 있는 듯한, 형언할 수 없는 공포와

불안과 절망과 분노와 원망과 기도와, 실로 복잡한 심경으로 방 안의 불을 끄고 잔

뜩 움츠린 채, 홀짝홀짝 술을 핥듯이 마신다.

『계셔요?』 하고 현관에서 소리가 난다.

「왔구나!」 단단히 태세를 갖추고, 이 술 뺏길까 보냐, 여보, 이 뒷병은 찬장에

숨겨, 아직 두 눈금 남았어, 내일하고 모레 치야. 작은 술병에도 아직 세 잔쯤 남

았는데, 그건 자기 전에 마실 거니까, 그건 그냥, 그대로, 건드리지 말고, 보자기

라도 덮어 놔, 자, 빠진 거 없지? 하며 온 방 안을 눈을 부라리며 둘러보고, 그리

고 갑자기 간살맞은 목소리로,

『누구시죵?』

아아, 쓰면서도 토 나올 것 같다. 인간도 이 지경이 되면, 이미 구제불능이다.

호연지기고 나발이고 없다. 『달이 빛나는 밤, 눈 내린 아침, 꽃 곁에서도, 한가로

이 이야기하며 술잔을 내미니, 모든 흥을 돋울 수 있도다.』하고 말하던 옛사람들

의 우아한 심경을 조금은 배워, 반성하도록 노력해야 한다. 그렇게까지 술을 마시

고 싶을까. 석양을 새빨갛게 뒤집어쓰고, 땀은 폭포와 같고, 수염을 기른 어엿한

사내들이, 맥줏집 앞에 가지런히 줄을 지어, 그리고 가끔, 살짝 발돋움을 하여 맥

줏집 둥근 창으로 내부를 들여다보고, 고개를 젓고 한숨을 짓는다.

좀처럼 순번이 돌아오지 않을 성싶다. 안쪽은 또한, 시장통처럼 혼잡하다. 팔꿈

치와 팔꿈치를 서로 부딪치고, 서로 옆에 앉은 손님을 견제하고, 막상막하로 큰 소

리를 지르고, 여기 맥주 빨리 줘, 여기 먹주, 라나 뭐라나 도호쿠(東北) 지방 사투리를

쓰는 놈도 있고, 와자지껄, 간신히 맥주 한 잔 받아 들고, 거의 무아지경으로 들이

켜기가 무섭게, 실례, 라는 말도 없이, 눈빛이 예사롭지 않은 시커먼 다음 손님이

자기를 의자에서 밀쳐 내고 끼어들어 온다. 그러면, 정신없이 퇴장해야 한다. 다시

마음을 가다듬고, 좋아, 한 바퀴 더, 하며 다시 문밖의 장사진 맨 끄트머리에 붙

어, 순번을 기다린다. 이걸 세 번, 네 번쯤 되풀이하고, 심신 모두 지쳐 녹초가 되면, 어우, 취한다, 하고 힘없이 중얼거리며 귀갓길에 오른다. 국내에 술이 결코 그렇게 극도로 부족한 건 아닌 것 같다. 마시는 사람들이 요사이 많아진 게 아닌가 하고 나는 생각한다. 조금 부족해졌다는 소문이 났으니, 지금껏 술을 마신 적이 없는 사람까지, 좋아, 이참에 어디 한번, 그 술이라는 것을 마셔 두자, 뭐든지, 경험해 보지 않으면 손해다, 실행하자, 라는 이상한 참으로 소인배 같은 욕심 때문에, 배급주도 일단은 챙겨 놓고, 비어홀이라는 곳에도 한번 돌격하고, 부대껴 보고 싶다, 뭐든 처지면 안 된다, 오뎅집이라는 곳도 어디 한번, 시도하고 싶다, 카페라는 곳도 말로는 들었는데, 대체 어떻게 생겨 먹었나, 이참에 꼭 한번 가 보고 싶따위의 시시한 포부 때문에, 어느새 남 못지않은 술꾼이 되고, 돈이 없을 때는, 한 눈금의 술을 아쉬워하고, 찻줄기가 선 위스키에 기뻐하다가, 이제는 못 끊게 된 사람들도, 꽤 많아지지 않았나 하는 생각이 든다. 아무튼 소인배는, 구제 불능이다.

이따금 술집 같은 데 가 보면, 정말, 기분 나쁜 일들이 많다. 손님들의 천박한 허영과 비굴, 가게 주인의 오만과 탐욕, 아아 이제 술은 싫다, 하며 갈 때마다 나는 금주의 결의를 새로이 다지건만, 때가 무르익지 않았다고나 할까 아직도 단행의 단계에 이르지 못했다.

가게로 들어간다. 『어섭셔──。』라고 말하며 가게 사람이 웃는 얼굴로 맞아 주었다는 것은, 그건 옛날이야기다. 지금은 손님 쪽에서 웃는 얼굴을 한다. 『안녕하세요。』하고 손님이 가게 주인, 여종업원에게, 만면에 비굴한 웃음을 지으며 인사하고, 그리고, 무시당하는 것이 통례가 된 모양이다.

공손하게 모자를 벗어 인사를 하고, 가게 주인을 『싸장님』이라 부르며, 생명보험 권유라도 하러 온 건가 생각되는 신사도 있으나, 이도 분명 술을 마시러 온 손님이고, 그리고 또한, 역시나 무시당하는 것이 통례처럼 되어 있다. 더욱 치밀한 놈은, 들어오자마자, 가게 카운터 위에 놓인 화분을 만지작거리기 시작한다. 『불

쌍해라, 물을 좀 주는 게 좋겠어』. 하고 주인 들으란 듯이 중얼거리고는, 직접 화

장실 물을 두 손으로 떠 와, 촤악촤악 화분에 뿌린다.

몸짓만 요란하지, 화분에 심은 나무에 뿌려지는 물은 고작 두세 방울이다. 주머

니에서 가위를 꺼내 들고, 착착 가지를 쳐서, 모양을 다듬는다. 단골 분재집 주인

인가 하면 그렇지도 않다. 의외로 은행 중역이거나 그렇다. 가게 주인 비위를 맞

추고 싶어서, 일부러 주머니에 가위를 몰래 넣어 가지고 오는 것이겠지만, 고심한

보람도 없이, 역시 주인한테 무시당한다. 어색한 연기도, 화려한 연기도, 이런 수

도 저런 수도, 하나같이 도움이 안 된다. 한결같이 차갑게 무시당한다. 하지만 손

님들도 그 무시에 굴하지 않고, 어떻게든 해서 한 병이라도 더 마시고 싶다는 바

람이 지나친 나머지, 급기야 자기가 가게 종업원도 아닌데, 가게로 누가 들어오면

빠짐없이 『어섭셔——』. 하고 소리치고, 또 누가 가게를 나가면, 그때마다 『감삼

다——』. 하고 외치는 것이다. 분명히, 착란, 발광 상태인 것이다. 실로 가련한 사

람이다. 주인은, 혼자 차분하게,

『오늘은, 도미 소금구이가 있어요.』 하고 중얼거린다.

지체 없이 한 청년이 탁자를 두드리며,

『잘 먹겠습니다! 제일 좋아하는 건데, 그거, 잘됐네.』 내심은 조금도 좋을 일

이 없다. 비싸겠네, 그놈. 난 여태껏, 도미 소금구이 같은 건, 먹어 본 적도 없다.

그렇지만, 지금은 크게 기쁜 척을 해야만 한다. 좆 같구만, 씨부럴! 『도미 소금

구이, 듣기만 해도 미치겠네.』 진짜, 미쳐 버리겠네.

다른 손님도, 이 대목에서 질 수 없는 상황이다. 나도 나도 하면서, 그 한 접시

2엔짜리 도미 소금구이를 주문한다. 이걸로, 어쨌든 한 병은 마실 수 있다. 하지

만, 주인장은 자비가 없다. 쉰 목소리로,

『돼지고기 수육도 있어요.』

『메? 돼지고기 수육?』 노신사는 방긋 웃으며, 『기다리고 있었수다.』 란다.

그렇지만 속으로는 매우 난처하다. 노신사는 이가 부실해서, 돼지고기는 애당초 썹을 수도 없는 것이다.

『다음은 돼지고기 수육이라고? 나쁘지 않군. 주인장, 나랑 좀 통하는데』라며 빤히 속이 들여다보이는 미련한 사탕발림을 하면서, 질세라 다른 손님도, 그 한 접시 2엔 하는 수상한 수육을 주문한다. 그러나, 이쯤에서 주머니 사정이 불안해져, 낙오하는 이도 있다.

『난, 돼지고기 수육, 일없슈.』하고 완전히 의기소침해서, 6호 활자만한 작은 목소리로 말하고, 일어서면서, 『얼마유?』라고 한다.

다른 손님들은 이 가련한 패배자가 퇴진하는 모습을 눈으로 배웅하면서, 한심한 우월감에 짜릿해졌는지,

『아아, 오늘 잘 먹었다. 주인장, 다른 거 또 맛있는 건 없나? 부탁하지, 한 접시 더.』하고 얼빠진 헛소리까지 내뱉는다. 술을 마시러 온 건지, 뭘 먹으러 온 건

지, 잊어버린 것 같다.

정말이지 술, 요물이로다.

식통 食通

식통이란, 대식가를 말하는 것이라고 들었다. 나는, 지금은 그렇지도 않지만, 전에는 굉장한 대식가였다. 그 시기에는, 나는 스스로를 대단한 식통이라고만 생각했다. 친구인 단가즈오 檀一雄 등에게, 식통이란, 대식가를 말하는 거라고 진지한 얼굴로 가르쳐 주고, 오뎅집 같은 데서, 두부, 두부튀김, 무, 다시 두부라는 순서로 끝도 없이 먹자, 단 군은 눈을 동그랗게 뜨고, 자네는 대단한 식통이로군, 하고 말하며 감탄했다. 이마 우헤이 伊馬鵜平 군에게도, 나는 그 식통의 정의를 가르쳐 주었는데, 이마 군은, 금세 희색을 만면에 띠고, 어쩌면, 나도 식통일지도 몰라, 하고 말했다. 이마 군과 그 후로 대여섯 번, 함께 먹고 마셨는데, 과연, 틀림없는 대식통이었다.

싸고 맛있는 것을, 많이 먹을 수 있다면, 이보다 더 좋은 일은 없지 않을까? 당

연한 이야기다. 즉, 그것이 식통의 비결이다.

언젠가 신바시新橋 오뎅집에서, 젊은 남자가, 새우구이를, 젓가락으로 솜씨 좋게 발

라내서, 여주인에게 칭찬을 받았는데, 쑥스러워하기는커녕 더욱더 새침을 떼며,

또 한 마리, 껍질을 훌러덩 벗겼다. 차마 눈뜨고 볼 수가 없었다. 진짜 병신 같아

보였다. 야! 손으로 까도, 되잖아. 러시아에서는, 카레라이스도, 손으로 퍼 먹는

댄다.

내가 좋아하는 말

거참, 모두들, 아름다운 말을 너무 많이 쓰십니다. 미사여구를 남용하는 감이 있습니다. 모리 오가이가 멋진 말을 했습니다.

『술잔을 기울이며 효모를 홀짝거리지는 말 것.』

고로, 나는 좋아하는 말이 없다.

향수 鄕愁

나는 촌스러운 시골뜨기라, 시인의 베레모나, 벨벳 바지 같은 걸 보면, 도무지 낯이 가려워 차분해질 수가 없고, 또 그 작품이라는 걸 봐도, 산문을 그냥 무딕대고 행을 바꿔 써서 읽기 어렵게 하거나, 의미심장하게 보이려는 것으로밖에 생각되지 않아, 시인이라 자칭하는 자들을, 지독히도 좋지 않게 생각하고 있었다. 검은 안경을 쓴 스파이는, 스파이로써 쓸모가 없는 것과 마찬가지로, 소위 「시인다운」 허영의 히스테리즘은, 문학의 불결한 이라는 風 생각까지 들었다. 「시인답다」는 말조차도 소름이 돋았다. 하지만, 쓰무라 津村信夫 노부오의 동료 시인들은, 그런 아니꼬운 자들은 아니었다. 대개 평범한 풍모를 하고 있었다. 시골뜨기인 나에게는, 그 점이 무엇보다 믿음직하게 느껴졌다.

그중에서도 특히 쓰무라 노부오는, 비슷한 연배에다, 그 밖에 다른 이유도 있었지만, 아무튼 나에게 매우 친근감을 느끼게 했다. 쓰무라 노부오와 알게 된 지, 년이나 되었지만, 언제 만나도 웃는다. 그렇지만 나는 쓰무라를 쾌활하다고는 생각하지 않았다. 햄릿은 언제나 웃었다. 그리고 돈키호테는, 자신을 「우울한 얼굴의 기사」라고 불러 달라고 종자에게 부탁했다. 쓰무라의 가정은, 흔히 말하는 「좋은 집안」인 것 같다. 그렇지만, 좋은 집안에는 역시, 좋은 집안의 어쩔 수 없는 우울함이 있을 것이다. 특히 「좋은 집안」에서 태어나 시를 쓰는 것에는, 묘한 고뇌가 있는 것은 아닐까? 나는 쓰무라의 웃는 얼굴을 보면, 언제나 그야말로 우울함의 물밑에서 솟아난 고요한 빛 같은 것을 느꼈다. 가엾다는 생각이 들었다. 잘 참고 있다고 감탄했다. 나라면, 자포자기했을 텐데, 쓰무라는 조용히 웃고 있다.

나는 쓰무라의 삶을, 나의 본보기로 삼자고 생각한 적도 있다.

10

내가 쓰무라를 생각하는 만큼 쓰무라가 나를 생각해 주었는지 어떤지, 거기에 대해서는 나는 자만하고 싶지는 않다. 난 쓰무라에게, 꽤나 폐를 끼쳤다. 그즈음에는 둘 다 같은 대학생이었는데, 나는 혼고(本郷)에 있는 소바 가게 같은 데서 술을 마시다가, 계산할 생각에 불안해지면, 나는 쓰무라에게 전화를 걸었다. 소바 가게 사람들에게 상황을 들키고 싶지 않아서 『헬프! 헬프!』라고만 말했다. 그래도 쓰무라는 정확하게 눈치를 채는 것이다. 싱글싱글 웃으며 찾아온다.

나는 그런 식으로 두세 번 도움을 받았다. 잊은 적이 없다. 그건, 분명 나쁜 짓이었기에, 언젠가 반드시, 사과를 해야 한다고 생각하고 있었는데, 노부오가 죽었다는 속달을 쓰무라의 형님으로부터 받았다. 그때는, 우리 집이 아내의 출산 때문에 가족 모두 고후(甲府)에 가 있던 터였고, 속달을 본 것도 며칠 후라, 나는 고별식에도, 동료들의 추도식에도 가지 못했다. 운이 없었다. 언젠가, 혼자서, 무덤에 사과하러 갈 생각이다.

쓰무라는 천국에 간 게 분명하고, 나는 죽어도 다른 곳으로 갈 테니까, 앞으로 영원히 쓰무라의 얼굴을 볼 수는 없을 것이다. 지옥 밑바닥에서、『헬프! 헬프!』하고 외쳐도、더는 쓰무라도 와 주지 않을 것이다.

이제、헤어지고 만 것이다. 나는 나카하라 츄야도、다치하라 미치조도 각별히 좋아하진 않았지만、쓰무라만은 좋아했다.

中原中也

立原道造

약속 하나

난파되어, 내 몸은 노도에 휩쓸려, 해안에 내동댕이쳐졌고, 필사적으로 매달린 곳은, 등대의 창문가. 아, 다행이다. 도움을 청하기 위해 소리를 지르려고, 창문을 들여다보니, 마침 등대지기 부부와 그 어린 딸아이가, 조촐하지만 행복한 저녁 식사를 한창 하고 있다. 아아, 안 되겠어, 하고 생각했다. 나의 처참한 한마디에, 이 단란함이 엉망진창이 되는 것이다. 하고 생각하니 목구멍까지 올라왔던 『살려 주세요!』 하는 소리가 아주 잠깐 망설여졌다. 아주 잠깐. 이윽고, 철썩하고 큰 파도가 밀어닥쳤고, 그 내성적인 조난자의 몸뚱이를 한입에 집어삼켜, 바다 멀리 납치해 가 버렸다.

이제, 살아날 방법은 없다.

이 조난자의 아름다운 행위를, 도대체, 누가 보고 있었을까. 그 누구도 보지 못했다. 등대지기는 아무것도 모른 채 가족과 단란한 식사를 계속했음이 틀림없고, 조난자는 노도에 시달리다 (어쩌면 눈보라 치는 밤이었을지도 모른다.) 홀로 죽어 갔을 것이다. 별도 달도, 그 장면을 보지 못했다. 그럼에도 불구하고, 그 아름다운 행위는 엄연한 사실로, 이야기되고 있다.

다시 말하면, 그것은 작가의 하룻밤 환상에서 발단된 것이다.

하지만, 그 미담은 결코 거짓이 아니다. 분명, 그런 사실이, 이 세상에 있었다.

여기에 작가의 환상이란 것의 불가사의함이 존재한다. 사실은, 소설보다도 기이하다, 라고 한다. 하지만 누구도 보지 못한 사실도 세상에는, 있는 것이다. 그리고, 그러한 사실에, 고귀한 보석이 빛을 내고 있는 경우가 많다. 바로 그런 것을 쓰고 싶다는 게, 작가가 사는 보람이다.

최전방에서, 싸우고 계신 제군들. 안심하도록. 누구에게도 알려지지 않은 어느 날, 어느 한구석에서의 제군의 아름다운 행위는, 기필코 한 무리의 작가들에 의해, 실수 없이, 남김없이, 자자손손 전해질 것이다. 일본문학의 역사는, 3천 년 동안 그것을 행했고, 앞으로도 역시, 변함없이, 그 전통을 계승할 것이다.

《행복한 시간》 1948년 4월
쓰시마 소노코(첫째 딸), 다자이 오사무
쓰시마 사토코(막내딸)

봄

벌써, 서른일곱이 됩니다. 얼마 전에, 어느 선배가, 용케도, 말이지, 자네는, 살아왔구만, 하고 진지하게 말했습니다. 나 자신도, 서른일곱까지 살아온 것이, 거짓말처럼 생각될 때가 있습니다. 전쟁 덕분에, 겨우, 살아갈 힘을 얻은 듯합니다. 벌써, 아이가 둘입니다. 위가 계집아이인데, 올해 다섯 살이 됩니다. 아래는, 사내아이고, 작년 8월에 태어나, 아직 아무런 재주도 부리지 못합니다. 적기가 내습할 때는, 아내가 아래 사내아이를 들쳐 업고, 나는 위 계집아이를 부둥켜안고, 방공호로 뛰어듭니다. 요전날, 별안간에 적기가 내려와, 바로 근처에 폭탄을 떨어뜨려, 방공호에 뛰어들 틈도 없이, 온 가족이 두 패로 갈라져 벽장 속으로 기어들어 갔는데, 쨍그랑하고, 뭐가 깨지는 소리가 나자, 위 계집아이가, 우와, 유리가 깨졌어, 하고 공포고 뭐고 느끼지 않는 모습으로, 무심하게 떠들었고, 적기가 지나 가고 나서, 소리가 난 쪽으로 가서 보니까, 예상대로, 다다미 석 장짜리 방 창유리 가 한 장 깨져 있었습니다. 나는 말없이, 쪼그려 앉아, 유리 파편을 주워 모았습니 다만, 그 손끝이 떨리고 있어서, 쓴웃음이 났습니다. 한시라도 **빨리** 수리하고 싶어 서, 아직 공습경보가 해제되지도 않았는데도, 기름종이를 잘라, 깨진 자리에 붙였 는데, 거친 뒷면이 바깥쪽, 깔끔한 쪽이 안쪽을 보도록 붙였더니, 아내는 얼굴을 찌푸리면서, 제가 나중에 할 텐데, 뒤집어 붙였잖아요, 그거, 하고 말했습니다.

나는, 또다시, 쓴웃음을 지었습니다.

피난을 가야 하긴 하지만, 이런저런 사정으로, 그리고 주로 금전적인 사정으로, 꾸물거리는 사이에, 벌써, 봄이 찾아왔습니다.

올해 도쿄의 봄은, 北国 북국의 봄과 무척이나 닮았습니다.

눈 녹은 물방울 소리가, 끊임없이 들려오니까요. 위 계집아이는, 자꾸 버선을 벗

고 싶어 합니다.

올해 도쿄에 내린 눈은, 40년 만의 폭설이라고 하네요. 내가 도쿄에 온 지, 벌써

이래저래 15년쯤 되는데, 이런 폭설을 겪은 기억은 없습니다.

눈 녹는 것과 동시에, 꽃이 피기 시작하다니, 마치, 북국의 봄과 똑같군요. 집에

가만히 앉아서 고향에 피난 온 듯한 기분이 드는 것도, 그 폭설 덕분이었습니다.

지금 막, 위 계집아이가, 맨발에 나막신을 신고 눈 녹은 길을 걸어, 엄마 손 잡

고 목욕하러 나갔습니다.

오늘은, 공습이 없을 것 같습니다.

전쟁터로 가는 젊은 지인의 깃발에, 남아필생 男兒畢生 위기일발, 危機一髮 이라고 써 주었습니다.

망한, 忙閑 모두 간발의 차.

부모라는 두 글자

『부모라는 두 글자라, 글 모르는 부모님 말씀하시고』 이 시는, 애처롭다.

『어디 가서, 뭘 하든, 부모라는 두 글자는 잊지 말거라.』

『아버지, 부모(오야)라는 글자는 한 글자(親)예요.』

『그러냐, 한 글자든 세 글자든 아무튼.』

이런 교훈은, 안 된다.

그러나 나는, 지금, 여기서 시 해설을 하려는 게 아니다. 실은, 저번에 어떤 글 모르는 부모를 만났는데, 이런 시가, 문득 떠올랐다는 것뿐이다.

이재민 경험이 있는 분이라면 다 아시겠지만, 이재민이 되면, 이상하게 우체국

에 갈 일이 많아지는 법이다. 난 두 번이나 이재민이 되어, 끝내는 쓰가루津軽 형님 댁

으로 피신하여 더부살이 신세가 되었는데, 간이보험이다 채권매각이다 하는 일로

가끔 우체국엘 갔고, 또, 머지않아 나는, 센다이仙台의 한 신문에 「판도라의 상자」パンドラの匣라

는 제목의 실연소설失恋小說을 연재하기로 되어, 원고 발송하랴, 전보 치랴, 더욱더 우체국

에 가는 횟수가 빈번해졌다.

앞서 말한 문맹 부모와 얼굴을 트게 된 것은, 그 우체국 벤치에서였다.

우체국은, 언제나 꽤 붐빈다. 나는 벤치에 앉아서, 내 차례를 기다리고 있다.

『잠깐, 나리, 써 주실라우.』

쭈뼛거리면서, 그리고, 어딘가 능글능글할 것 같은, 얼굴도 몸집도 아주 작은 할

아버지가 말했다. 술꾼이 틀림없군, 하고 나는 동지끼리 알아보는 민감함으로, 척

보고 판단했다. 얼굴 피부가 창백하고 거칠고, 코가 빨갛다.

나는 말없이 고개를 끄덕이고는 벤치에서 일어나, 우체국에 비치된 벼루가 있는

쪽으로 간다. 저 금통장과, 인출용지와, 인출용지(노인네는 그걸, 돈 내주는 종이라고 한다.)

그리고 도장, 이 세 가지를 보여 주면서, 『써 주실라우.』 하고 말하면, 뒤는 들을 것도 없다.

『얼마요?』

『40엔.』

나는 그 인출용지에 「금사십엔정」이라고 적고, 그리고 통장 번호, 주소, 성명을 써넣는다. 통장에는 옛 주소인 아오모리시 무슨 마을 몇 번지라고 하는 곳에 줄이 그어져 있고, 새 주소인 기타쓰가루군 北津軽郡 가나기마치 青森市 아무개라고 그 金木町 밑에 기입되어 있다. 아오모리시에서 화재를 겪고 이쪽으로 피난을 온 사람일지도 모른다고 대충 짐작했는데, 역시 그게 맞았다. 그리고 이름은,

다케우치 도키, 竹内トキ

라고 되어 있었다. 할머니 통장인가, 그 정도로만 생각했는데, 그러나, 그건 틀

렸다.

노인네는, 인출용지를 창구에 제출하고, 다시 나하고 나란히 벤치에 앉아, 잠깐 있었는데, 다른 창구에서 현금 지급 담당 직원이,

『다케우치 도키 님.』

하고 부른다.

『어이.』

하고 노인네는 태연하게 대답하고, 그 창구로 간다.

『다케우치 도키 님. 40엔. 본인이신가요?』

하고 직원이 묻는다.

『아니유, 딸이유. 야가 내 막내딸이구먼.』

『웬만하면, 본인더러 오시라고 하세요.』

라고 말하며 직원은 할아버지에게 돈을 건넨다.

노인네는, 돈을 받아들고, 그리고, 헤헤, 하고 비웃듯 양어깨를 으쓱, 너무나 능글맞은 미소를 지으며 내 쪽으로 와서는,

『본인은, 저세상 갔시유.』

나는, 그 후로, 정말 여러 번 그 영감님과 우체국에서 얼굴을 마주쳤다. 그는 내 얼굴을 보면, 묘하게 웃으며,

『나리.』하고 부르며, 『써 주실라우?』하고 말한다.

『얼마요?』

『40엔.』

늘, 똑같다.

그리고, 그러는 사이에, 때때로 영감님이 이야기를 해 주었다. 노인네 말에 따르면, 그는, 짐작대로 술꾼이었다. 40엔도, 그날 중에 술값으로 다 쓰는 것 같다. 이 근처에는 아직, 암거래 술이 여기저기 있는 것이다.

대를 이을 아들은, 전쟁터에 나가서 아직 돌아오지 않았다. 장녀는 기타쓰가루

이 마을 통메장이 집으로 시집을 왔다. 불이 나기 전에는, 막내딸과 둘이서 아오모

리에 살았다. 그러나, 공습으로 집은 타 버리고, 그 스물여섯 먹은 막내딸은 큰 화

상을 입었고, 의사에게 치료도 받았으나, 코끼리 씨(조오상)가 왔다, 코끼리 씨가

왔다, 하고 헛소리를 하다가, 숨을 거두었다고 한다.

『코끼리 꿈이라도 꿨나 봐유. 그지 같은 꿈을 꾼 거쥬. 크흑.』 하기에 웃는가

싶었는데, 뭐야, 운다.

「코끼리 씨」라는 건, 어쩌면 「증산」(増産)(조오산)이 아닐까. 그 다케우치 도키 씨

는, 그때까지 아주 오랫동안 쭉 관공서에서 일했다고 했으니까, 『증산이 왔다.』는

말이, 뭔가 관공서에서 쓰는 특별한 뜻 같은 게 있는 말이라서, 그게 입버릇이 된

게 아닐까, 하고도 생각했지만, 그러나, 그 글 모르는 부모의 해석대로, 코끼리 씨

꿈을 꾸었다고 하는 쪽이, 몇십 배나 서글픔이 깊다.

나는 흥분하여, 터무니없이 입을 놀렸다.

『정말 그래요. 더럽게 진지한 샌님들 흉내 내는 논쟁이 나라를 말아먹은 거지요. 마음 약한 부끄럼쟁이만 있었다면, 이런 지경까지는 오지 않았을 텐데.』

나 자신도 어리석은 의견이라고는 생각했으나, 말하면서, 눈시울이 뜨거워졌다.

『다케우치 도키 님.』

하고 직원이 부른다.

『예.』

하고 대답하고, 할아버지는 의자에서 일어난다. 다 마셔 버리세요, 라고 나는 정말이지 노인네한테 말해 주고 싶었다.

하지만, 그 후로 얼마 지나지 않아, 이번에는 내가, 에이, 확, 다 마셔 버리자 하는 생각이 들었다. 내 저금통장은, 설마하니 딸 명의는 아니었지만, 그러나, 그 내용은, 어쩌면 다케우치 도키 씨 통장보다도 훨씬 빈약했을지 모른다. 정확한 금

액의 보고 따위는 기분 잡치는 일이라 하지 않겠지만, 아무튼 그 돈은, 뭔가 좋지 않은 일이라도 생겨, 급하게 형님 집에서 나와야 하거나 할 때, 너무 비참한 생각이 들지 않게끔, 우체국에 넣어 둔 것이었다. 그런데 그 무렵, 어떤 사람에게 위스키를 열 병 정도 양도받을 수 있다는 소식을 들었는데, 그 사례로 내 저금의 거의 전부가 필요한 것 같았다. 나는 잠깐 생각하고서, 에이, 전부 술로 바꿔 버리자, 하고 생각했다. 나중은 또 나중이고, 어떻게 되겠지. 어떻게 안 되면, 그때는 또, 어떻게 되겠지.

내년에는 벌써 서른여덟인데, 아직도 내게는, 이렇게 막 나가는 구석이 있다. 그러나, 평생, 이런 식으로 밀고 나간다면, 그 또한 진기한 광경이 아닐까, 등등 바보 같은 생각을 하며 우체국으로 갔다.

그 영감님이 와 있다.

『나리.』

내가 창구에 가서 인출용지를 받으려 했더니,

『오늘은, 돈 찾는 종이는 필요 없시유. 돈 넣을 거라서.』

하고 말하며 10엔 지폐 다발을 꽤 많이 보여 준다.

『딸 보험금이 나와서유, 역시 딸 명의로 오늘 넣을 작정이구먼유.』

『그거 잘됐네요. 오늘은 제가, 돈을 찾아요.』

매우 묘한 전개였다. 얼마 안 있어 두 사람의 볼일은 끝났으나, 내가 현금 지급

창구에서 건네받은 지폐 뭉치는, 공교롭게도, 방금 전에 영감님이 입금한 지폐 뭉

치 바로 그것이었기에, 왠지 할아버지에게 심히 미안한 기분이 들었다.

그리고 그 돈을 어떤 사람에게 건네줄 때도, 다케우치 도키 씨의 보험금으로 위

스키를 사는 듯한, 이상한 착각을 나는 느꼈다.

며칠 후, 위스키는 내 방 벽장으로 들어갔고, 나는 아내를 보며,

『이 위스키에는 말이야, 스물여섯 살 처녀의 목숨이 녹아 있다구. 이걸 마시

면, 내 소설에서도 아주 요염한 색정이 우러나올지 몰라.』 하고 말하고는, 처음 우

체국에서 글 모르는 불쌍한 할아버지를 만난 일을 처음부터, 자세히 말해 주었는

데, 아내는 절반도 듣기 전에, 『거짓말, 거짓말. 아빠는, 또, 창피해서 꾸며낸 이

야기 하신다. 그치, 아가?』라고 말하며, 기어오는 두 살배기 아이를 무릎 위로

안아 올렸다.

≪영화화 된「판도라의 상자」주연 여배우와 함께≫ 1947년 봄
세키 치에코, 다자이 오사무

바다

東京 三鷹 도쿄 미타카 집에 살던 무렵에는 매일같이 근처에 폭탄이 떨어지는 통에, 난 죽어도 상관없지만, 하지만 이 아이 머리 위로 폭탄이 떨어지기라도 한다면, 이 아이는 끝내 바다라는 것을 한 번도 보지 못한 채 죽겠구나 하는 생각이 들어 마음이 괴로웠다. 나는 津軽平野 쓰가루평야 한복판에서 태어났기에 바다를 본 건, 뒤늦게, 열 살쯤에, 처음으로 바다를 보았다. 그리하여 그때 느낀 커다란 흥분은 아직껏 가장 소중한 추억 중 하나로 간직하고 있다. 이 아이한테도 한번 바다를 보여 주고 싶다. 이 아이는 계집애고 다섯 살이다. 얼마 안 있어 미타카 집은 폭탄에 무너졌으나 집 안 사람 누구도 다치지 않았다. 우리는 처가가 있는 甲府市 고후시로 거처를 옮겼다. 하지

만곤 고후시도 적군 전투기가 폭격을 하여, 우리가 살던 집은 홀랑 타 버렸다. 그래도 전쟁은 여전히 계속된다. 결국 내가 태어난 곳으로 처자를 데리고 갈 밖에 다른 방도가 없다. 그곳이 마지막 죽을 곳이다. 우리는 고후에서, 쓰가루津軽 고향집을 향해 출발했다. 사흘 밤낮이 걸려, 겨우 아키타현秋田県 히가시노시로에東能代 다다랐고, 거기에서 고노선五能線으로 갈아타고서야 조금 마음이 놓였다.

『바다, 바다가 보이는 게, 어느 쪽이지요?』

나는 우선 차장에게 묻는다. 이 기차는 바닷가 바로 옆으로 다닌다. 우린, 바다가 보이는 쪽에 앉았다.

『바다가 보일 거야. 좀 있음 보일 거야. 우라시마 다로浦島太郎 이야기에 나오는 바다가 보일 거라구.』

어째나 혼자, 호들갑이다.

『야, 바다다! 봐봐봐, 바다야, 이야, 바다네. 그치? 정말 크지? 그치? 바다니까.』

드디어 이 아이에게도, 바다를 보여 줄 수 있었다.

『강이야, 엄마.』라며 아이는 차분하다.

『강?』 나는 정신이 멍했다.

『음, 강이구나.』 아내는 잠결에 대꾸한다.

『강 아니구! 바다라구! 전혀, 완전 다르잖아! 강이라니, 너무하잖아!』

참으로 헛헛한 심정으로, 나 홀로, 황혼 드리운 바다를 바라본다.

작은 바람

예수께서 십자가에 못 박히실 제, 그때 벗어 두신 새하얀 속옷은, 위부터 아래까지 솔기 없이 모두 그 모양 그대로 짠 참으로 진귀한 옷이었기에, 병사들은 그 물건의 고상함과 우아함에 탄식을 터뜨렸다고 성경에 기록되어 있지만,

아내여,

예수 아닌 시정의 한낱 겁쟁이가, 매일 이렇게 고통스러워하다가, 그러다가, 만약에 죽어야만 하는 때가 온다면, 솔기 없는 속옷일랑 바라지도 않으니, 하다못해 고운 면 순백의 팬티 한 장 지어 입혀 주지 않겠수?

소설의 재미

소설이라는 것은, 본래, 여자들이나 읽는 것으로, 이른바 영리한 어른들이 눈을 부릅뜨고 읽고, 거기에다 그 독후감을 탁자를 탕탕 쳐가면서 서로 논하는 그런 성질의 것이 아닙니다. 소설을 읽고, 옷깃을 여몄다느니, 고개를 숙였다느니 하는 사람, 그게 농담이라면 또 재미있는 이야깃거리일 수도 있겠지만, 정말로 그런 행동을 했다면, 그건 미친 사람이나 하는 짓거리라고 해야 하겠지요. 예를 들자면 가정에서 아내가 소설을 읽는데, 남편이 일하러 나가기 전에 거울을 보고 넥타이를 매면서, 요즘 어떤 소설이 재미있냐고 묻자, 아내 대답하기를, 헤밍웨이의 『누구를 위하여 종은 울리나』가 재미있었어요. 그러자 남편, 조끼의 단추를 잠그며, 어떤 줄거린데 하고, 완전 깔보는 듯한 말투로 묻습니다. 그 말에 아내, 갑자기 상기되어, 줄거리를 구구절절 읊더니, 자기 설명에 감격하여 흐느껴 웁니다. 남편, 옷을 걸치고, 흠, 그거 재밌겠군. 그리고, 돈 잘 버는 남편은 일하러 나가고, 밤에 어느 살롱에 자리 잡고 앉아, 말하기를, 요즘 소설 중에서는 역시, 헤밍웨이의

『누구를 위하여 종은 울리나』가 제일인 것 같습니다.

소설이라는 것은, 그처럼 한심한 것으로, 실은, 여자들을 호릴 수 있으면 그것으로 대성공. 그 여자를 호리는 수법도, 여러 가지가 있어서, 어떤 때는 근엄한 척하고, 어떤 때는 아름다움을 암시하고, 또는 명문가 출신이라고 속이고, 혹은 대단치도 못한 학식을 총동원해 과시하고, 혹은 자기 집의 불행을 부끄러움이고 체면이고도 없이 까발리면서, 그걸로 여자의 심퍼시를 사고자 하는 의도가 명명백백함에도동정심불구하고, 평론가라는 얼간이들이, 그걸 받들어 모시고, 또한 자기의 밥줄로 삼고있는 듯하니, 기가 막히지 않습니까?

마지막으로 말해 두지만, 옛날, 다키자와 바킨이라는 사람이 있었는데, 그 사람이 쓴 글은 대부분 별로 재미가 없었지만, 그런데, 일생의 대작 『사토미핫켄덴』의 서문에는, 아녀자의 졸음 쫓는 수단이라도 된다면 행복하겠습니다, 하고 적혀 있습니다. 그리고, 부녀자의 졸음 쫓는 수단을 쓰기 위해, 그 사람은 눈이 멀어 버렸는데, 그런데도, 구술필기로 계속했다 하니, 바보 같은 자가 아닙니까?

여담이지만, 나는 언제인가 시마자키 도손이라는 사람이 쓴 『동트기 전』이라는 작품을, 잠이 오지 않는 밤부터 동트기 전까지 전부 다 읽었는데, 그랬더니 잠이 오더라, 그래서 그 두꺼운 책을 베갯머리에 집어던지고, 꾸벅꾸벅 졸다가, 꿈을 꾸었습니다. 그런데 그게, 조금도, 전혀, 그 작품과 관계가 없는 꿈이었습니다. 나 중에 듣기로는, 그 사람이, 그 작품을 완성하기 위해 10년을 매달렸다고 하더군요.

《다자이 오사무 동반자살? 다마가와 죠스이에 유류품》
1948년 6월 16일 「마이니치 신문」

≪야마자키 도미에≫

미남과 담배

난, 혼자서, 지금까지 싸워 온 셈입니다만, 어쩐지 아무리 해도 질 것만 같아, 불안해서 견딜 수가 없습니다. 그렇지만, 설마, 지금까지 경멸해 온 자들에게, 제 발 나를 무리에 끼워 주세요, 제가 잘못했습니다, 하고 이제 와서 부탁할 수도 없습니다. 나는, 역시 혼자서, 싸구려 술이나 마시면서, 나의 싸움을, 싸움을 계속할 수밖에 없습니다.

나의 싸움. 그것은, 한마디로 말하자면, 옛것과의 싸움입니다. 주변에 널린 잘난 체에 대한 싸움입니다. 빤히 보이는 빈말에 대한 싸움입니다. 쩨쩨한 것, 쩨쩨한 자에 대한 싸움입니다.

나는, 하나님께도 맹세할 수 있습니다. 나는, 그 싸움 때문에, 내가 가진 모든 것을 잃었습니다. 그리하여, 여전히 나는 혼자이고, 늘 술을 마시지 않고서는 견딜 수 없는 심정이고, 그리고, 어쩐지 질 것만 같습니다.

구세대는, 심보가 고약합니다. 이러쿵저러쿵, 진부하기 짝이 없는 문학론인지, 예술론인지를, 부끄러운 기색도 없이 싸지르고, 그것으로 새싹의 필사적인 발아를 짓밟아 뭉개고, 게다가, 그런 자기 자신의 죄악을 조금도 깨닫지 못하는 모양이니, 내가 졌습니다. 밀어도, 당겨도, 꼼짝 않으십니다들. 그저, 목숨이 아까워서, 돈이 아쉬워서, 그리고, 출세해서 처자식을 기쁘게 하고 싶어서, 그래서 작당을 하고, 무턱대고 패거리를 칭찬하고, 이른바 일치단결하여 홀로 외로운 자를 괴롭힙니다.

나는 질 것만 같습니다.

요전에, 모처에서, 싸구려 술을 마시고 있으려니, 거기에 나이 든 문학자 세 명

이 들어와서는, 내가 그 사람들과는 아는 사이도 뭣도 아닌데, 느닷없이 나를 에워

싸더니, 매우 칠칠치 못한 술주정을 하며, 내 소설에 대해 참으로 엉뚱한 악담을

하는 것이었습니다. 나는, 아무리 술을 마셔도, 흐트러지는 것은 질색하는 성격이

라, 그 악담도 웃으며 흘려듣고 있었습니다만, 집으로 돌아와, 늦은 저녁을 먹으면

서, 너무나 억울해서, 울컥 터진 오열이 멈추지 않아, 밥그릇도 젓가락도, 내려놓

은 채, 영영 서러운 울음을 터뜨리고 있었는데, 시중을 들던 아내를 향해,

『사람이, 사람이, 이렇게, 목숨 걸고 필사적으로 쓰고 있는데, 다들, 나를 장

난감으로 알고…… 그 양반들은, 선배라구, 나보다 열 살이나 스무 살이나 위라구,

그런데도, 전부 다 힘을 합쳐, 나를 부정하려고 하고…… 비겁해, 교활해…… 이

제, 좋아, 나도 이제 사양하지 않겠어. 선배들 악담을 공공연하게 하겠어, 싸우겠

어…… 너무해.』

라는 둥, 두서없는 말을 중얼거리면서, 점점 심하게 울자, 아내는 기가 막힌 표

정을 지으며,

『주무세요.』

라고 말하고, 나를 이부자리로 데리고 갔으나, 누워서도, 그 분한 울음이, 오열

이, 좀체, 그치지 않았습니다.

아아, 살아간다는 건, 지겨운 일이다. 특히나, 남자는, 괴롭고, 슬픈 법이다.

좌우지간, 무엇이든 싸우고, 그리고, 이겨야만 하니까.

분한 나머지 울어 버린 그날로부터, 며칠 후, 어느 잡지사의, 젊은 기자가 와서,

내게, 묘한 말을 했습니다.

『우에노 부랑자 보러 안 가실래요?』
   上野

『부랑자?』

『네. 같이 사진을 찍고 싶습니다.』

『내가, 부랑자랑 있는?』

316

『네.』

라고 대답하며, 차분합니다.

어째서, 특별히 나를 택했을까요? 다자이 하면, 부랑자. 부랑자 하면 다자이.

뭔가 그런 인과관계라도 있는 걸까요.

『갑시다.』

나는, 울상을 짓고 싶을 때, 오히려 반사적으로 상대방에게 맞서는 성미를 가진

것 같습니다.

난 곧바로 일어서서 양복으로 갈아입고, 내 쪽에서, 그 젊은 기자를 재촉하듯 집

을 나섰습니다.

추운 겨울 아침이었습니다. 나는 손수건으로 콧물을 틀어막고, 말없이 걸으며,

과연 떨떠름한 심정이었습니다.

미타카역에서 三鷹駅 국철로 省線 도쿄역까지 東京駅 가서、 거기서 시철로 市電 갈아타고、 그 젊은 기자

를 따라, 우선 본사에 들렀는데, 응접실로 안내되어, 앉자마자 즉시 위스키 대접을

받았습니다.

생각건대, 다자이 그놈은 소심한 인간이라, 위스키라도 먹여서 조금 기운을 북

돋지 않으면, 틀림없이 부랑자와 변변히 이야기도 못 할 거라는 본사 편집부의 호

의 어린 배려였는지도 모르겠으나, 솔직히 말해, 그 위스키는 매우 기괴한 물건이

었습니다. 나도, 지금까지 갖가지 수상한 술을 마셔 온 사나이, 뭐 결코 점잖 떠는

건 아닙니다만, 그러나, 혼자서만 위스키를 마시는 건 처음이었습니다. 세련된 상

표 같은 게 붙어 있는, 제대로 된 병이었습니다만, 내용물이 뿌옇습니다. 막걸리

같은 위스키라고나 할까요.

하지만 나는 마셨습니다. 벌컥벌컥 마셨습니다. 그리고, 응접실에 모여든 기자

들에게도, 마실래요? 하고 권했습니다. 그러나, 모두 비웃듯 엷게 웃으며 안 마시

는 겁니다. 거기에 모여 있던 기자들, 대부분 지독한 술꾼이라는 걸 나는 소문으로

들어 알고 있었습니다. 하지만, 안 마시는 겁니다. 그 대단한 술고래들도, 막걸리 같은 위스키는 멀리하는 모양이었습니다.

나 혼자 취해 가지고, 『뭐야, 실례 아닌가. 자기들도 못 마실 정도로 요상한 위스키를, 손님한테 권하다니, 너무하구만』 하고 웃으면서 말하니, 기자들은, 이제 슬슬 다자이도 취기가 오르기 시작했다, 술기운이 사라지기 전에, 부랑자와 대면시켜야 한다, 한마디로 찬스를 놓치면 안 된다, 면서 나를 자동차에 태우고, 우에노역에 데리고 가서, 부랑자 소굴이라고 불리는 지하도로 데려가는 것이었습니다.

허나, 기자들의 이 용의주도한 계획도, 그렇게 성공적이라고는 할 수 없을 것 같습니다. 나는, 지하도로 내려와서 아무것도 보지 않고, 그저 똑바로 걷기만 했고, 그리고 지하도 출구에 거의 다 와서, 꼬치구이집 앞, 사내아이 넷이서 담배를 피우고 있는 걸 보고는, 매우 께름칙한 기분이 들어 다가지거든.

『담배는, 끊으렴. 담배를 피우면 외려 배가 고파지거든. 끊으렴. 닭꼬치 먹고 싶으면, 사 줄게.』

아이들은 피우던 담배를 순순히 버렸습니다. 모두 열 살 될까 말까, 정말로 어린

애들입니다. 나는 꼬치구이집 여주인한테,

『여기, 애들한테 하나씩.』

하고 말하면서, 정말로, 이상한 정을 느꼈습니다.

이것도, 선행이라고 할 수 있을 것인가, 미치겠군. 나는 돌연 발레리가 했던 어

떤 말을 떠올리고, 더욱, 미칠 것 같았습니다.

만약, 내가 그때 했던 행동이 속물들에게, 조금이라도 친절한 짓거리로 보였다

면, 나는 발레리에게 아무리 경멸당해도 어쩔 수 없습니다.

발레리의 말 ──선을 행할 때는, 언제나 사과하면서 행해야 한다. 선행만큼 타

인을 상처 입히는 것은 없으므로.

나는 감기에 걸린 것 같은 느낌이 들어, 어깨를 움츠린 채, 황새걸음으로 지하도

밖으로 나와 버렸습니다.

기자들 네다섯 명이, 내 뒤를 따라와서는,

『어땠어요? 지옥이 따로 없지요?』

다른 한 명이,

『어쨌든, 다른 세상이니까요.』

또 다른 한 명이,

『놀라셨어요? 감상은요?』

나는 소리 내어 웃었습니다.

『지옥? 설마. 난 요만큼도 안 놀랐는데.』

그리 말하고, 우에노공원(上野公園)으로 걸어가면서, 나는 조금씩 말수가 많아졌습니다.

『실은, 난 아무것도 못 봤어. 나 자신의 괴로움만 생각하면서, 그냥 똑바로 앞만 보고, 지하도에서 서둘러 빠져나온 게 다야. 하지만 자네들이 날 택해서 지하도를 보여 준 이유는, 알게 됐지. 그건, 내가 미남이라서 그런 게 분명해.』

모두 웃음을 터뜨렸습니다.

『아니, 농담이 아니라. 자네들은 눈치 못 챘군. 난, 앞을 똑바로 보고 걷고 있었지만, 그 어두컴컴한 구석에 누워 있는 부랑자가 거의 전부 단정한 얼굴을 한 미남이라는 걸 깨달았지. 그러니까, 미남은 지하도 신세로 떨어질 가능성을 다분히 가지고 있다는 말이 된다구. 자네는 살결도 하얗고 미남이라서, 위험해, 조심하라구. 나도, 조심해야겠지만 말이야.』

또, 모두가 와하고 웃었습니다.

자만하고, 또 자만하고, 남이 뭐라 해도 자만하다가, 문득 정신을 차리니, 내신세는, 지하도 구석에 누워, 이미 인간이 아닙니다. 나는, 지하도를 지나갔을 뿐인데, 그런 전율을, 정말로 느꼈습니다.

『미남은 그렇다 치고, 그거 말고 뭔가 발견하셨나요?』

라는 질문을 받고 나는,

『담배. 그 미남들은, 술에 취한 것 같지는 않았지만, 담배만은 대부분 피우고 있더라구. 담배도, 싸지는 않겠지. 담배를 살 돈이 있다면, 차라리 한 짝이라도, 신발 한 켤레라도 살 수 있지 않을까. 콘크리트 바닥에 누워서, 맨발로, 그리고 담배를 피우고 있어. 인간은, 아니, 지금의 인간은, 밑바닥에 떨어져도, 알몸이 되더라도, 담배를 피워야만 하게끔 되어 있는 거겠지. 남의 일이 아니야. 왜지, 나도 그 심정을 알 수 있을 것 같아. 이런, 드디어, 나의 지하도행 실현 가능성도 짙어지기 시작했군.』

우에노공원 앞 광장으로 나왔습니다. 아까 그 소년 넷이 겨울 한낮의 햇살을 맞으며, 그야말로 희희낙락 까불까불 놀고 있었습니다. 나는, 그 소년들 쪽으로 자연스럽게 다가가고 말았습니다.

『그대로, 그대로.』

기자 하나가 카메라를 내 쪽으로 돌리며 외치더니, 찰칵 사진을 찍었습니다.

『이번엔, 웃으세요!』

그 기자가, 렌즈를 들여다보면서, 다시 그렇게 소리치자, 소년 하나가 제 얼굴을 쳐다보며,

『얼굴을 마주 보면, 웃음이 막 나와부려.』

하며 웃기에, 나도 따라서 웃었습니다.

천사가 하늘을 날아다니다가, 신의 뜻에 따라, 날개가 사라지고, 낙하산처럼 온 세상 방방곡곡에 훨훨 내려앉았습니다. 나는 이 북쪽 나라 눈 위에 내려앉았고, 자네는 남쪽 나라 귤밭에 내려앉았고, 그리고, 이 소년들은 우에노공원에 내려앉았다는, 딱 그만큼의 차이, 이제부터 부쩍부쩍 자랄 테지만, 소년이여, 외모에는 반드시 무관심하도록. 담배를 피우지 말고, 술은 잔칫날 말고는 마시지 말며, 그리고, 내성적이고 조금은 세련된 아가씨와 느긋하게 사랑하게나.

추신.

이때 찍은 사진을, 나중에 기자가 가지고 왔다. 서로 마주 보며 웃는 사진, 그리

고 다른 한 장은, 내가 부랑아들 앞에 쭈그려 앉은 채, 한 아이의 다리를 잡고 있

는 심히 묘한 포즈의 사진이었다. 만약 이 사진이 훗날, 어디 잡지에라도 게재되었

을 경우, 다자이 이 재수 없는 새끼, 예수 흉내 내나, 「요한복음」에서 제자 발을

씻겨 주는 짓을 흉내 내고 자빠졌네, 우웩, 하고 오해를 살 소지가 없다고는 할 수

없으므로, 한마디 변명을 하자면, 난 단지 맨발로 다니는 아이들 발바닥이 어떻게

생겼을까 하는 호기심에 그런 것이다.

또 하나, 우스갯소리를 덧붙인다. 그 사진 두 장을 받고, 나는 아내를 불러,

『이게, 우에노역 부랑자야.』

하고 말해 주니, 아내는 진지하게,

『아아, 이게 부랑자예요?』

하며, 뚫어져라 사진을 쳐다보는데, 문득 나는 아내가 응시하고 있는 곳을 보고

깜짝 놀라,

『나 참, 어딜 보는 거야. 그건, 나라구. 당신 서방이잖아. 부랑자는, 애라니

까.』

아내는 고지식함이 차고 넘치는 성격의 소유자로, 농담 같은 걸 할 수 있는 여자

가 아니다. 진짜로 내 모습을 부랑자로 착각한 것 같다.

≪우에노공원에서 부랑아들과 함께≫ 1947년 겨울
부랑아1, 다자이 오사무, 부랑아2, 부랑아3, 부랑아4

패거리에 대하여

패거리는, 정치다. 그리고, 정치는, 힘이라고 한다. 그렇다면, 패거리도, 힘이라는 목표를 위해 발명된 조직일지도 모른다. 게다가 그 힘이, 믿고 의지하는 바는, 역시 「다수」라는 부분에 있는 것 같다.

하지만, 정치의 경우에 있어서는, 2백 표보다, 3백 표가 절대적인, 거의 신의 심판을 받는 것과 같은 승리를 거두겠지만, 문학의 경우에 있어서는 조금 다르게도 생각된다.

「孤高 고고」함. 그것은, 예로부터 어설픈 아첨의 말로 오랫동안 닳도록 쓰여 왔고,

그 아첨을 받는 자를 만나 보면, 그저 불쾌한 인간일 뿐, 누구나 그 사람과 사귀기

를 꺼려하는, 그런 성격을 가진 경우가 많은 것 같다. 그리고 소위 「고고」한 사람

은, 함부로 입을 놀리며 「패거리」를 욕한다. 왜, 어째서 욕하는지 이유를 모르겠

다. 그저 「패거리」를 욕하며, 자신의 이른바 「고고」함을 자랑하는 것은, 외국이

나, 일본이나 옛날 위대한 사람들은 모두 「고고」했다고 하는 전설에 편승함으로써

자기의 쓸쓸한 신세를 감추려는 태도처럼 생각된다.

「고고」하다고, 스스로 칭하는 자는 주의해야 한다. 무엇보다, 그것은, 역겹다.

거의 예외 없이, 「간파당한 타르튀프」다. 원래, 이 세상에, 「고고」함은, 없다. 고

독은, 있을지도 모른다. 아니, 오히려, 「고저 孤低」한 사람이 많은 것 같다.

나의 현재 입장에서 말하자면, 나는, 좋은 친구를 원해 마지않지만, 아무도 나와 어울려 주지 않기에, 자연히, 「고저」할 수밖에 없다. 라고 하는 건, 그건 거짓말이고, 나는 내 나름대로 「패거리」의 괴로움이 예감되어, 차라리 「고저」를 택하는 편이, 물론 그것도 결코 좋은 선택은 아니지만, 차라리 「고저」한 쪽에서 사는 편이, 마음 편하다고 생각되어, 애써 사교활동을 하지 않을 뿐이다.

그리고 또 「패거리」에 대해서 조금 말해 보고 싶은데, 나에게 있어 (다른 사람은, 어떤지 모른다。) 가장 고통스러운 것은, 못된 「패거리」의 어리석음을 어리석다고 말 못 하고, 도리어 칭찬을 해야만 하는 의무가 부담스럽다는 사실이다。「패거리」라는 건, 옆에서 보면, 소위 「우정」으로 맺어져, 싸잡아 말해서 미안하지만, 응원단 박수처럼, 참으로 시원스럽게 발인지 말인지 맞아떨어지는데, 사실, 가장 증오하는 사람은, 같은 「패거리」 안에 있는 법. 진심으로, 의지하고 있는 사람도, 자기가 속한 「패거리」의 적들 가운데 있는 법이다.

자기 「패거리」 중에 있는 마음에 들지 않는 녀석만큼 대하기 곤란한 건 없다. 그것은 평생, 자신을 우울하게 만드는 씨앗이라는 사실을 명심해야 한다.

새로운 패거리의 형태, 그것은 동료끼리, 공공연히 배신하는 데에서 시작되는 것인지도 모른다.

우정. 신뢰. 나는, 그것을 「패거리」 속에서 본 적이 없다.

죽음을 무릅쓰고 바라보는 청춘의 외침들

미치코 님. 누구보다도 당신을 사랑했습니다. 오래 머물수록 여러분을 힘들게 해서 저도 괴롭습니다. 용서해 주시기를. 어렵겠지만 아이들은 밝게 키워 주세요. 당신이 싫어져서 죽는 게 아닙니다. 소설을 쓰기가 싫어졌기 때문입니다. 모두들 천박한 욕심쟁이들뿐. 이부세 씨는 나쁜 사람입니다.

아내 미치코에게 남긴 유서에서 발췌

다자이 오사무 수필선집
이십 엔, 놓고 꺼져

1판 1쇄   2018년 12월 25일

지 은 이   다자이 오사무
옮 긴 이   김동근
발 행 인   김동근
발 행 처   소와다리
주   소   인천광역시 남구 구월로 40번길 6-21번지 3가동 302호
대표전화   0505-719-7787
팩시밀리   0505-719-7788
출판등록   제2011-000015호(2011년 8월 3일)
이 메 일   sowadari@naver.com

※잘못 만들어진 책은 구입하신 서점을 통해 바꾸어드립니다.

ISBN 978-89-98046-86-6 (04830)